사고력 수학 소마가 개발한 연산학습의 새 기준!!

소마의 마술같은 원리셈

소마셈

KB129336

C1
3학년

- 생각하는 수 이야기 08
- 1주차 – (두 자리 수)×(한 자리 수) (1) 09
- 2주차 – (두 자리 수)×(한 자리 수) (2) 27
- 3주차 – (세 자리 수)×(한 자리 수) (1) 41
- 4주차 – (세 자리 수)×(한 자리 수) (2) 57
- Drill (보충학습) 75
- 정답 109

수학이 즐거워지는 특별한 수학교실
소마에서 개발한 연산교재 소마셈

소마셈

2002년 대치소마 개원 이후로 끊임없는 교재 연구와 교구의 개발은 소마의 자랑이자 자부심입니다. 교구, 게임, 토론 등의 다양한 활동식 수업으로 스스로 문제해결능력을 키우고, 아이들이 수학에 대한 흥미와 자신감을 가질 수 있도록 차별성 있는 수업을 해 온 소마에서 연산 학습의 새로운 패러다임을 제시합니다.

연산 교육의 현실

연산 교육의 가장 큰 폐해는 '초등 고학년 때 연산이 빠르지 않으면 고생한다.'는 기존 연산 학습지의 왜곡된 마케팅으로 인해 단순 반복을 통한 기계적 연산을 강조하는 것입니다. 하지만, 기계적 반복을 위주로 하는 연산은 개념과 원리가 빠진 연산 학습으로써 아이들이 수학을 싫어하게 만들 뿐 아니라 사고의 확장을 막는 학습방법입니다.

초등수학 교과과정과 연산

초등교육과정에서는 문자와 기호를 사용하지 않고 말로 풀어서 연산의 개념과 원리를 설명하다가 중등교육과정부터 문자와 기호를 사용합니다. 교과서를 살펴보면 모든 연산의 도입에 원리가 잘 설명되어 있습니다. 요즘 현실에서는 연산의 원리를 묻는 서술형 문제도 많이 출제되고 있는데 연산은 연습이 우선이라는 인식이 아직도 지배적입니다.

연산 학습은 어떻게?

연산 교육은 별도로 떼어내어 추상적인 숫자나 기호만 가지고 다뤄서는 절대로 안됩니다. 구체물을 가지고 생각하고 이해한 후, 연산 연습을 하는 것이 필요합니다. 또한, 속도보다 정확성을 위주로 학습하여 실수를 극복할 수 있는 좋은 습관을 갖추는 데에 초점을 맞춰야 합니다.

소마셈 연산학습 방법

10이 넘는 한 자리 덧셈 구체물을 통한 개념의 이해

덧셈과 뺄셈의 기본은 수를 세는 데에 있습니다. 8+4는 8에서 1씩 4번을 더 센 것이라는 개념이 중요합니다. 10의 보수를 이용한 받아 올림을 생각하면 8+4는 (8+2)+2지만 연산 공부를 시작할 때에는 덧셈의 기본 개념에 충실한 것이 좋습니다. 이 책은 구체물을 통해 개념을 이해할 수 있도록 구체적인 예를 든 연산 문제로 구성하였습니다.

가로셈 가로셈을 통한 수에 대한 사고력 기르기

세로셈이 잘못된 방법은 아니지만 연산의 원리는 잊고 받아 올림한 숫자는 어디에 적어야 하는지만을 기억하여 마치 공식처럼 풀게 합니다. 기계적으로 반복하는 연습은 생각없이 연산을 하게 만듭니다. 가로셈을 통해 원리를 생각하고 수를 쪼개고 붙이는 등의 과정에서 키워질 수 있는 수에 대한 사고력도 매우 중요합니다.

곱셈구구 곱셈도 개념 이해를 바탕으로

곱셈구구는 암기에만 초점을 맞추면 부작용이 큽니다. 곱셈은 덧셈을 압축한 것이라는 원리를 이해하며 구구단을 외움으로써 연산을 빨리 할 수 있다는 것을 알게 해야 합니다. 곱셈구구를 외우는 것도 중요하지만 곱셈의 의미를 정확하게 아는 것이 더 중요합니다. 4×3을 할 줄 아는 학생이 두 자리 곱하기 한 자리는 안 배워서 45×3을 못 한다고 말하는 일은 없도록 해야 합니다.

소마셈 학습가이드

K단계 (5, 6, 7세) • 연산을 시작하는 단계

뛰어세기, 거꾸로 뛰어세기를 통해 수의 연속한 성질(linearity)을 이해하고 덧셈, 뺄셈을 공부합니다. 각 권의 호흡은 짧지만 일관성 있는 접근으로 자연스럽게 나선형식 반복학습의 효과가 있도록 하였습니다.

학습대상 : 연산을 시작하는 아이와 한 자리 수 덧셈을 구체물(손가락 등)을 이용하여 해결하는 아이

학습목표 : 수와 연산의 튼튼한 기초 만들기

P단계 (7세, 1학년) • 받아올림이 있는 덧셈, 뺄셈을 배울 준비를 하는 단계

5, 6, 9 뛰어세기를 공부하면서 10을 이용한 더하기, 빼기의 편리함을 알도록 한 후, 가르기와 모으기의 집중학습으로 보수 익히기, 10의 보수를 이용한 덧셈, 뺄셈의 원리를 공부합니다.

학습대상 : 받아올림이 없는 한 자리 수의 덧셈을 할 줄 아는 학생

학습목표 : 받아올림이 있는 연산의 토대 만들기

A단계 (1학년) • 초등학교 1학년 교과과정 연산

받아올림이 있는 한 자리 수의 덧셈, 뺄셈은 연산 전체에 매우 중요한 단계입니다. 원리를 정확하게 알고 A1에서 A4까지 총 4권에서 한 자리 수의 연산을 다양한 과정으로 연습하도록 하였습니다.

학습대상 : 초등학교 1학년 수학교과과정을 공부하는 학생

학습목표 : 10의 보수를 이용한 받아올림이 있는 덧셈, 뺄셈

B단계 (2학년) • 초등학교 2학년 교과과정 연산

두 자리, 세 자리 수의 연산을 다룬 후 곱셈, 나눗셈을 다루는 과정에서 곱셈구구의 암기를 확인하기보다는 곱셈구구를 외우는데 도움이 되고, 곱셈, 나눗셈의 원리를 확장하여 사고할 수 있도록 하는데 초점을 맞추었습니다.

학습대상 : 초등학교 2학년 수학교과과정을 공부하는 학생

학습목표 : 덧셈, 뺄셈의 완성 / 곱셈, 나눗셈의 원리를 정확하게 알고 개념 확장

C단계 (3학년) • 초등학교 3, 4학년 교과과정 연산

B단계까지의 소마셈은 다양한 문제를 통해서 학생들이 즐겁게 연산을 공부하고 원리를 정확하게 알게 하는데 초점을 맞추었다면, C단계는 3학년 과정의 큰 수의 연산과 4학년 과정의 혼합 계산, 괄호를 사용한 식 등, 필수 연산의 연습을 충실히 할 수 있도록 하였습니다.

학습대상 : 초등학교 3, 4학년 수학교과과정을 공부하는 학생

학습목표 : 큰 수의 곱셈과 나눗셈, 혼합 계산

D단계 (4학년) • 초등학교 4, 5학년 교과과정 연산

분모가 같은 분수의 덧셈과 뺄셈, 소수의 덧셈과 뺄셈을 공부하여 초등 4학년 과정 연산을 마무리하고 초등 5학년 연산과정에서 가장 중요한 약수와 배수, 분모가 다른 분수의 덧셈과 뺄셈을 충분히 익힐 수 있도록 하였습니다.

학습대상 : 초등학교 4, 5학년 수학교과과정을 공부하는 학생

학습목표 : 분모가 같은 분수의 덧셈과 뺄셈, 소수의 덧셈과 뺄셈, 분모가 다른 분수의 덧셈과 뺄셈

소마셈 단계별 학습내용

K단계 추천연령 : 5, 6, 7세

단계	K1	K2	K3	K4
권별 주제	10까지의 더하기와 빼기 1	20까지의 더하기와 빼기 1	10까지의 더하기와 빼기 2	20까지의 더하기와 빼기 2
단계	K5	K6	K7	K8
권별 주제	10까지의 더하기와 빼기 3	20까지의 더하기와 빼기 3	20까지의 더하기와 빼기 4	7까지의 가르기와 모으기

P단계 추천연령 : 7세, 1학년

단계	P1	P2	P3	P4
권별 주제	30까지의 더하기와 빼기 5	30까지의 더하기와 빼기 6	30까지의 더하기와 빼기 10	30까지의 더하기와 빼기 9
단계	P5	P6	P7	P8
권별 주제	9까지의 가르기와 모으기	10 가르기와 모으기	10을 이용한 더하기	10을 이용한 빼기

A단계 추천연령 : 1학년

단계	A1	A2	A3	A4
권별 주제	덧셈구구	뺄셈구구	세 수의 덧셈과 뺄셈	□가 있는 덧셈과 뺄셈
단계	A5	A6	A7	A8
권별 주제	(두 자리 수)+(한 자리 수)	(두 자리 수)−(한 자리 수)	두 자리 수의 덧셈과 뺄셈	□가 있는 두 자리 수의 덧셈과 뺄셈

B단계 추천연령 : 2학년

단계	B1	B2	B3	B4
권별 주제	(두 자리 수)+(두 자리 수)	(두 자리 수)−(두 자리 수)	세 자리 수의 덧셈과 뺄셈	덧셈과 뺄셈의 활용
단계	B5	B6	B7	B8
권별 주제	곱셈	곱셈구구	나눗셈	곱셈과 나눗셈의 활용

C단계 추천연령 : 3학년

단계	C1	C2	C3	C4
권별 주제	두 자리 수의 곱셈	두 자리 수의 곱셈과 활용	두 자리 수의 나눗셈	세 자리 수의 나눗셈과 활용
단계	C5	C6	C7	C8
권별 주제	큰 수의 곱셈	큰 수의 나눗셈	혼합 계산	혼합 계산의 활용

D단계 추천연령 : 4학년

단계	D1	D2	D3	D4
권별 주제	분모가 같은 분수의 덧셈과 뺄셈(1)	분모가 같은 분수의 덧셈과 뺄셈(2)	소수의 덧셈과 뺄셈	약수와 배수
단계	D5	D6		
권별 주제	분모가 다른 분수의 덧셈과 뺄셈(1)	분모가 다른 분수의 덧셈과 뺄셈(2)		

구성과 특징

1

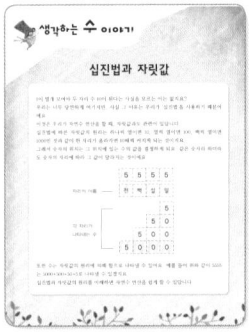

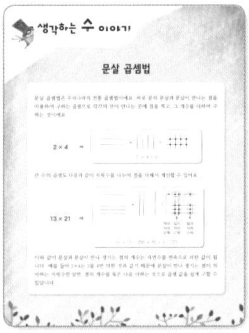

수 이야기

생활 속의 수 이야기를 통해 수와 연산의 이해를 돕습니다. 수의 역사나 재미있는 연산 문제를 접하면서 수학이 재미있는 공부가 되도록 합니다.

2

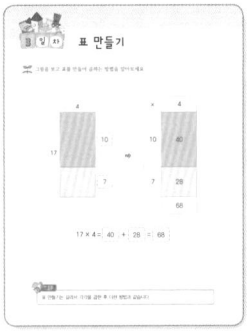

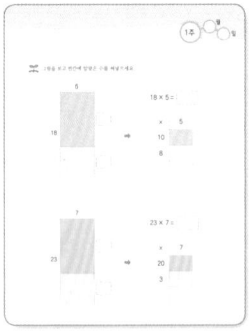

원리

가장 기본적인 연산의 원리를 소개합니다. 이때 다양한 방법을 제시하되 가장 효과적인 방법을 적용할 수 있도록 단계적으로 접근하여 충분한 원리의 이해를 돕습니다.

3

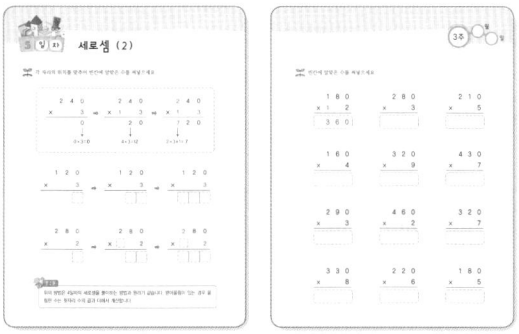

연습

원리의 이해를 바탕으로 연산이 익숙해지도록 연습합니다. 먼저 반복적인 연산 연습 후에 나아가 배운 원리를 활용하여 확장된 문제를 해결합니다.

4

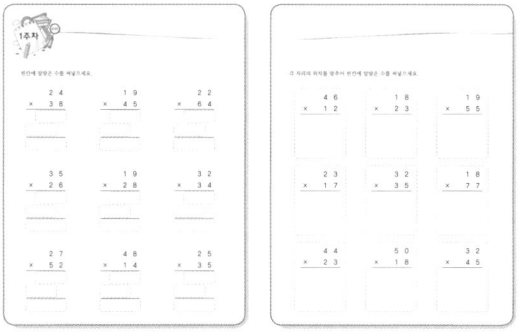

Drill (보충학습)

주차별 주제에 대한 연습이 더 필요한 경우 보충학습을 활용합니다.

TIP 연산과정의 확인이 필수적인 주제는 Drill의 양을 2배로 담았습니다.

십진법과 자릿값

1이 열개 모여야 두 자리 수 10이 된다는 사실을 모르는 이는 없지요?
우리는 너무 당연하게 여기지만, 사실 그 이유는 우리가 '십진법'을 사용하기 때문이에요.
이것은 우리가 자연수 연산을 할 때, 자릿값과도 관련이 있답니다.
십진법에 따른 자릿값의 원리는 하나씩 열이면 10, 열씩 열이면 100, 백씩 열이면 1000인 것과 같이 한 자리가 올라가면 10배씩 커지게 되는 것이지요.
그래서 숫자의 위치는 그 위치에 있는 수의 값을 결정하게 되요. 같은 숫자라 하더라도 숫자의 자리에 따라 그 값이 달라지는 것이에요.

	5	5	5	5
자리의 이름	천	백	십	일
각 자리가 나타내는 수				5
			5	0
		5	0	0
	5	0	0	0

또한 수는 자릿값의 원리에 의해 합으로 나타낼 수 있어요. 예를 들어 위와 같이 5555는 5000+500+50+5로 나타낼 수 있겠지요.
십진법과 자릿값의 원리를 이해하면 자연수 연산을 쉽게 할 수 있답니다.

소마셈 C1 – 1주차

(두 자리 수) × (한 자리 수) (1)

▶ 1일차 : 몇십의 곱 10

▶ 2일차 : 갈라서 더하기 13

▶ 3일차 : 표 만들기 16

▶ 4일차 : 세로셈 (1) 20

▶ 5일차 : 세로셈 (2) 23

몇십의 곱

그림을 보고 몇십의 곱을 해 보세요.

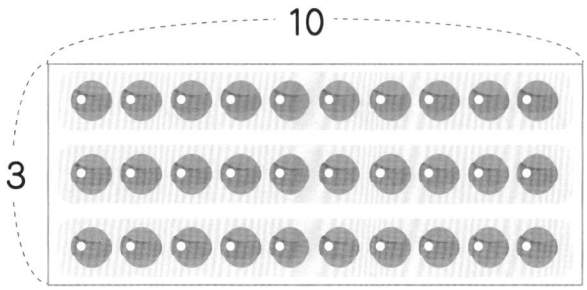

10 + 10 + 10 = 30

10 × 3 = 3 0

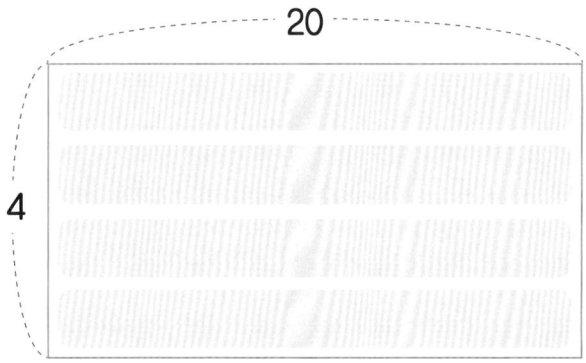

20 + 20 + 20 + 20 = ☐

20 × 4 = ☐

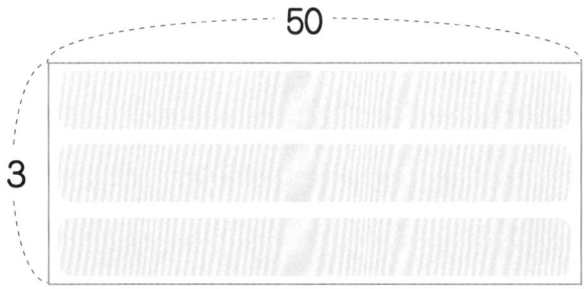

50 + 50 + 50 = ☐

50 × 3 = ☐

TIP

(몇십)×(몇)의 값은 (몇)×(몇)의 계산 결과의 뒤에 0을 1개 붙이면 됩니다.

□ 안에 알맞은 수를 써넣으세요.

$20 + 20 = 40$

$20 \times 2 = 40$

$60 + 60 + 60 + 60 + 60 + 60 = \square$

$60 \times \square = \square$

$70 + 70 + 70 = \square$

$70 \times \square = \square$

$40 + 40 + 40 + 40 + 40 = \square$

$40 \times \square = \square$

$50 + 50 + 50 + 50 = \square$

$50 \times \square = \square$

$80 + 80 + 80 + 80 = \square$

$80 \times \square = \square$

□ 안에 알맞은 수를 써넣으세요.

20 × 7 = 1 4 0

10 × 7 = □

30 × 2 = □

20 × 5 = □

10 × 6 = □

40 × 4 = □

50 × 2 = □

40 × 7 = □

40 × 8 = □

60 × 2 = □

20 × 8 = □

70 × 3 = □

갈라서 더하기

그림을 보고 몇십 몇을 갈라서 더하는 방법을 알아보고, 빈칸에 알맞은 수를 써넣으세요.

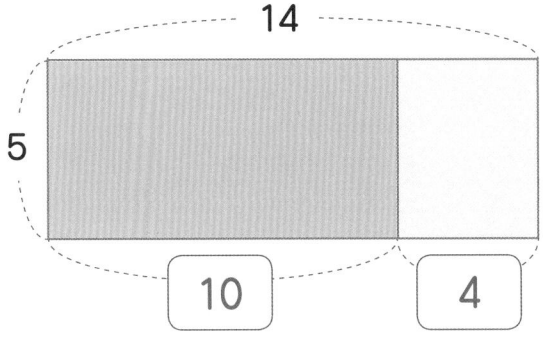

14 × 5 = 70

10 × 5 = 50

4 × 5 = 20

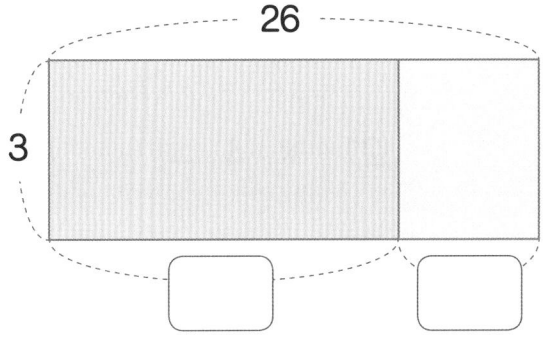

26 × 3 = ☐

☐ × 3 = ☐

☐ × 3 = ☐

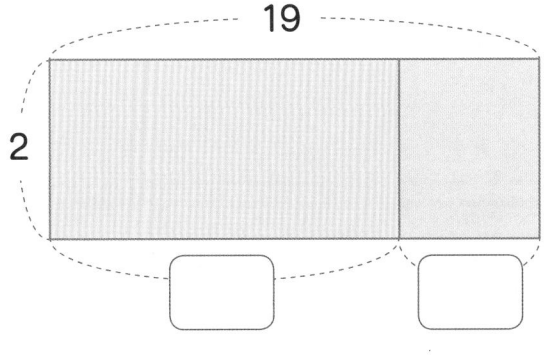

19 × 2 = ☐

☐ × 2 = ☐

☐ × 2 = ☐

TIP

(몇십 몇)×(몇)의 계산은 (몇십 몇)을 (몇십)과 (몇)으로 가르기하여 각각 곱한 후 더합니다.

빈칸에 알맞은 수를 써넣으세요.

14 × 5 = 70

10 × 5 = 50

4 × 5 = 20

12 × 8 = ☐

☐ × 8 = ☐

☐ × 8 = ☐

15 × 5 = ☐

☐ × 5 = ☐

☐ × 5 = ☐

21 × 4 = ☐

☐ × 4 = ☐

☐ × 4 = ☐

28 × 3 = ☐

☐ × 3 = ☐

☐ × 3 = ☐

36 × 2 = ☐

☐ × 2 = ☐

☐ × 2 = ☐

빈칸에 알맞은 수를 써넣으세요.

26 × 6 = 156

20 × 6 = 120

6 × 6 = 36

22 × 7 = ☐

☐ × 7 = ☐

☐ × 7 = ☐

34 × 5 = ☐

☐ × 5 = ☐

☐ × 5 = ☐

18 × 7 = ☐

☐ × 7 = ☐

☐ × 7 = ☐

25 × 3 = ☐

☐ × 3 = ☐

☐ × 3 = ☐

38 × 3 = ☐

☐ × 3 = ☐

☐ × 3 = ☐

표 만들기

그림을 보고 표를 만들어 곱하는 방법을 알아보세요.

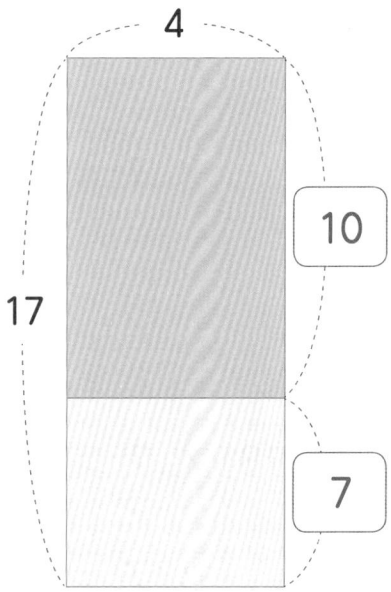

×	4
10	40
7	28
	68

17 × 4 = 40 + 28 = 68

TIP

표 만들기는 갈라서 각각을 곱한 후 더한 방법과 같습니다.

그림을 보고 빈칸에 알맞은 수를 써넣으세요.

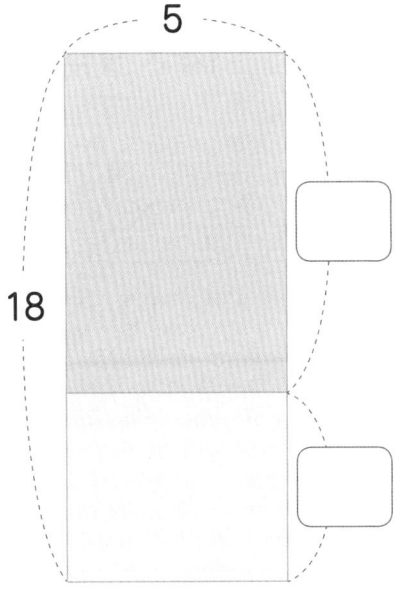

18 × 5 = ☐

×	5
10	
8	

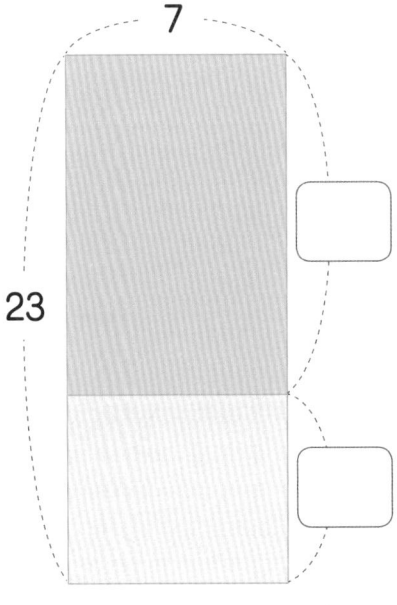

23 × 7 = ☐

×	7
20	
3	

빈칸에 알맞은 수를 써넣으세요.

13 × 6 = 78

×	6
10	60
3	18
	78

16 × 8 = ☐

×	8
10	
6	

14 × 9 = ☐

×	9
10	
4	

17 × 7 = ☐

×	7
10	
7	

25 × 4 = ☐

×	4
20	
5	

23 × 8 = ☐

×	8
20	
3	

빈칸에 알맞은 수를 써넣으세요.

32 × 7 = 224

×	7
30	210
2	14
	224

24 × 8 = ☐

×	8
20	
4	

37 × 5 = ☐

×	5
30	
7	

25 × 5 = ☐

×	5
20	
5	

43 × 6 = ☐

×	6
40	
3	

39 × 7 = ☐

×	7
30	
9	

4일차 세로셈 (1)

각 자리의 위치를 맞추어 빈칸에 알맞은 수를 써넣으세요.

	1	6
×		4
	2	4

(6×4)

	1	6
×		4
	2	4
	4	0

(10×4)

	1	6
×		4
	2	4
	4	0
	6	4

	1	8
×		5

	1	8
×		5
	4	0

	1	8
×		5
	4	0
	5	0

	2	6
×		7

	2	6
×		7
	4	2

	2	6
×		7
	4	2
1	4	0

빈칸에 알맞은 수를 써넣으세요.

	1	5
×		7
	3	5
	7	0
1	0	5

← (5×7)

← (10×7)

	1	8
×		6

	2	4
×		5

	2	9
×		3

	3	5
×		8

	1	7
×		7

	2	6
×		5

	1	9
×		5

	3	4
×		8

빈칸에 알맞은 수를 써넣으세요.

	2	6	
×		7	
	4	2	← (6×7)
1	4	0	← (20×7)
1	8	2	

	1	9
×		9

	2	3
×		6

	2	8
×		7

	3	5
×		5

	1	2
×		9

	3	4
×		5

	4	1
×		7

	4	6
×		3

5일차 세로셈 (2)

각 자리의 위치를 맞추어 빈칸에 알맞은 수를 써넣으세요.

1 6	1 6	1 6
× 4	× 2 4	× 2 4
	4	6 4
	↓	↓
	6×4=24	1×4+2=6

1 9	1 9	1 9
× 5	× □ 5	× □ 5
	□	□□

2 6	2 6	2 6
× 3	× □ 3	× □ 3
	□	□□

TIP

위의 방법은 4일차의 세로셈을 풀이하는 방법과 원리가 같습니다. 받아올림이 있는 경우 올림한 수는 윗자리 수의 곱과 더해서 계산합니다.

빈칸에 알맞은 수를 써넣으세요.

18 × 34 = 72	14 × 9 =	23 × 3 =
26 × 6 =	31 × 7 =	34 × 3 =
27 × 8 =	29 × 3 =	43 × 3 =
38 × 2 =	43 × 5 =	24 × 8 =

빈칸에 알맞은 수를 써넣으세요.

33 × 16 198	23 × 6 □	18 × 6 □
44 × 2 □	35 × 6 □	53 × 8 □
39 × 3 □	53 × 2 □	24 × 3 □
40 × 9 □	28 × 5 □	66 × 3 □

Note

소마셈 C1 – 2주차

(두 자리 수) × (한 자리 수) (2)

▶ 1일차 : 곱셈표 28

▶ 2일차 : 벌레 먹은 곱셈 (1) 30

▶ 3일차 : 벌레 먹은 곱셈 (2) 33

▶ 4일차 : 수 상자 35

▶ 5일차 : 문장제 37

1 일 차 곱셈표

빈칸에 알맞은 수를 써넣으세요.

×	1	2
20		40
21	21	

20×2=40

21×1=21

×	1	2
20	20	40
21	21	42

×	1	2	3
10			
11			
12			

×	1	2	3
13			
14			
15			

×	2	3	4
16			
17			
18			

×	2	3	4
19			
20			
21			

빈칸에 알맞은 수를 써넣으세요.

×	7	8
16		
17		

×	4	5
19		
20		

×	2	3	4
13			
14			
15			

×	4	5	6
10			
11			
12			

×	3	4	5
20			
21			
22			

×	5	6	7
30			
31			
32			

벌레 먹은 곱셈 (1)

곱셈식의 일부분이 찢어져 보이지 않습니다. □ 안에 들어갈 알맞은 수를 모두 써 보세요.

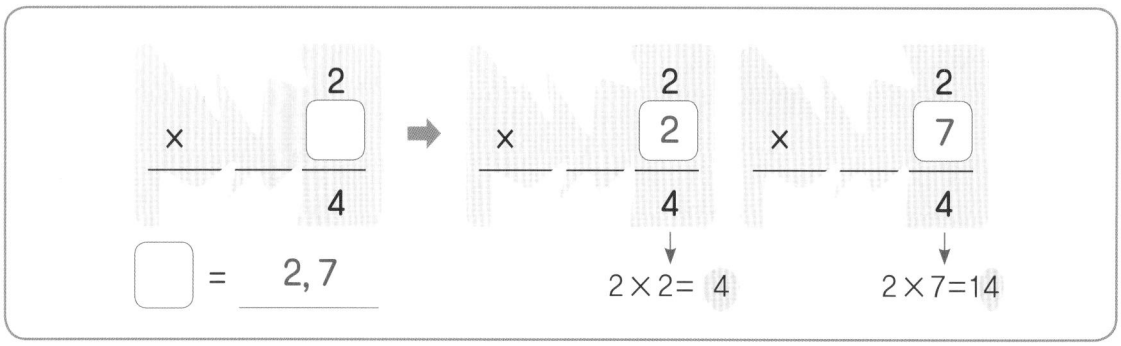

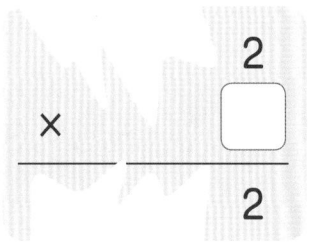

□ = _____

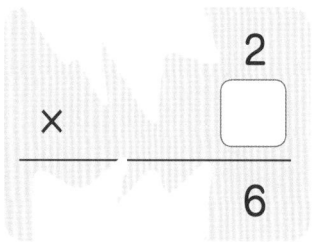

□ = _____

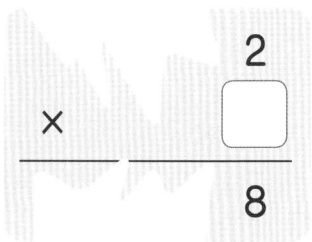

□ = _____

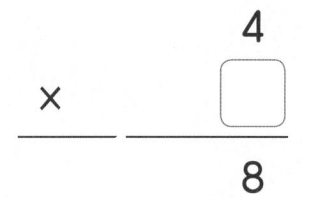

□ = _____

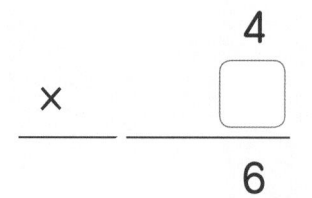

□ = _____

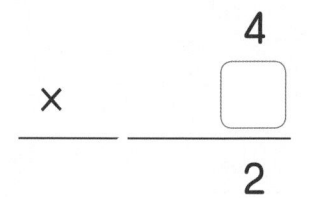

□ = _____

TIP

벌레 먹은 곱셈은 두 수의 곱의 끝자리 수(일의 자리 수)를 이용하여 풀이할 수 있습니다.
곱셈구구의 각 단의 곱에서 일의 자리 수가 무엇인지 생각해 봅니다.

곱셈식의 일부분이 찢어져 보이지 않습니다. □ 안에 들어갈 알맞은 수를 모두 써 보세요.

$$\begin{array}{r} 4 \\ \times\ \square \\ \hline 4 \end{array}$$

□ = 1, 6

$$\begin{array}{r} 6 \\ \times\ \square \\ \hline 2 \end{array}$$

□ = _____

$$\begin{array}{r} 6 \\ \times\ \square \\ \hline 6 \end{array}$$

□ = _____

$$\begin{array}{r} 6 \\ \times\ \square \\ \hline 4 \end{array}$$

□ = _____

$$\begin{array}{r} 6 \\ \times\ \square \\ \hline 8 \end{array}$$

□ = _____

$$\begin{array}{r} 8 \\ \times\ \square \\ \hline 4 \end{array}$$

□ = _____

$$\begin{array}{r} 8 \\ \times\ \square \\ \hline 8 \end{array}$$

□ = _____

$$\begin{array}{r} 8 \\ \times\ \square \\ \hline 2 \end{array}$$

□ = _____

$$\begin{array}{r} 8 \\ \times\ \square \\ \hline 6 \end{array}$$

□ = _____

곱셈식의 일부분이 찢어져 보이지 않습니다. □ 안에 들어갈 알맞은 수를 모두 써 보세요.

× 7 □ = 2	× 5 □ = 5	× 3 □ = 2
□ = _____	□ = _____	□ = _____
× 3 □ = 8	× 7 □ = 1	× 7 □ = 9
□ = _____	□ = _____	□ = _____
× 9 □ = 7	× 9 □ = 4	× 9 □ = 1
□ = _____	□ = _____	□ = _____

TIP

짝수와의 곱에서 일의 자리 수는 일정한 수가 반복되므로 □ 안에 들어갈 수는 여러 가지 경우가 있으나, 5를 제외한 홀수와의 곱에서 일의 자리 수는 모두 다르므로 □ 안에 들어갈 수는 한 가지씩입니다.

벌레 먹은 곱셈 (2)

빈칸에 알맞은 수를 써넣으세요.

5 8 × 3 1 7 4	4 × 9 4 5	6 × 6 7 8
2 4 × 7 2	5 8 × 5 2	× × 5 6 0
6 × 7 4 1	8 × 5 2 5	5 × 3 1 8
8 × 2 9	8 6 × 5 6	5 × 2 0 4

빈칸에 알맞은 수를 써넣으세요.

7 × 4 6	2 × 8 2 8	3 × 3 8 1
5 × 9 4 7	× 7 2 3 8	7 6 × 3 0
3 1 × 2 7 9	4 × 3 1 3	6 × 1 9
3 7 × 2 2	8 × 3 2 9	2 8 × 2 4

4일차 수 상자

빈칸에 알맞은 수를 써넣으세요.

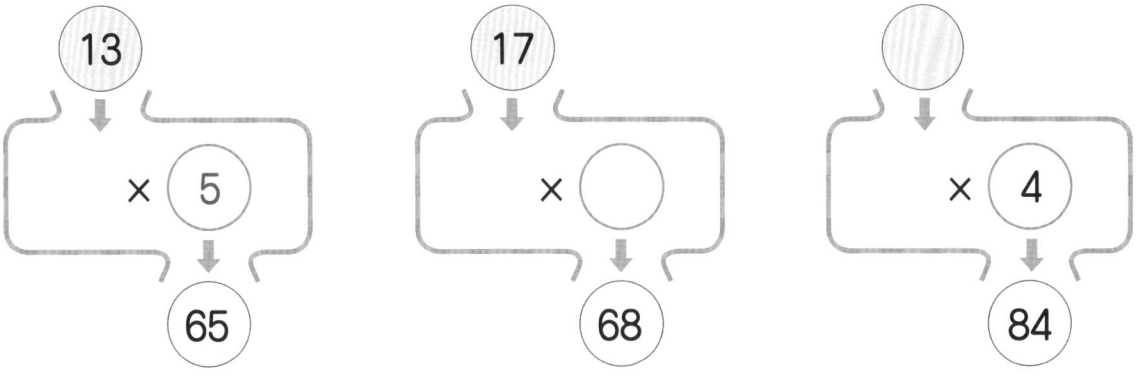

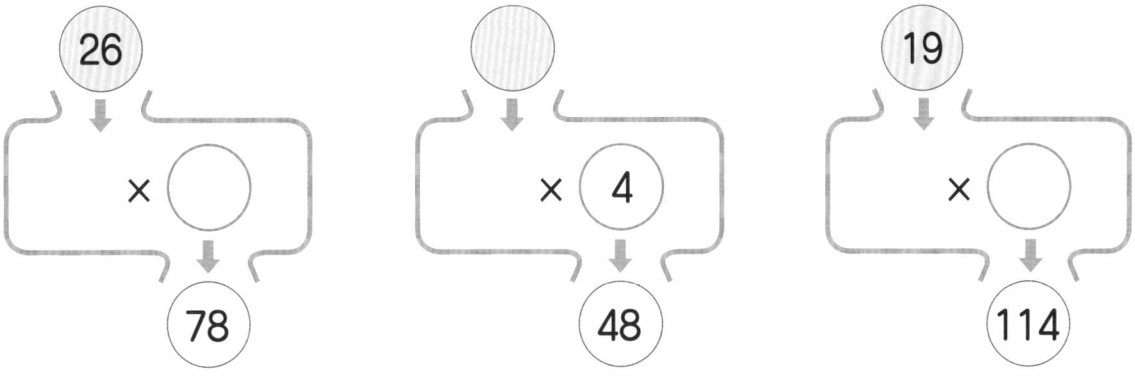

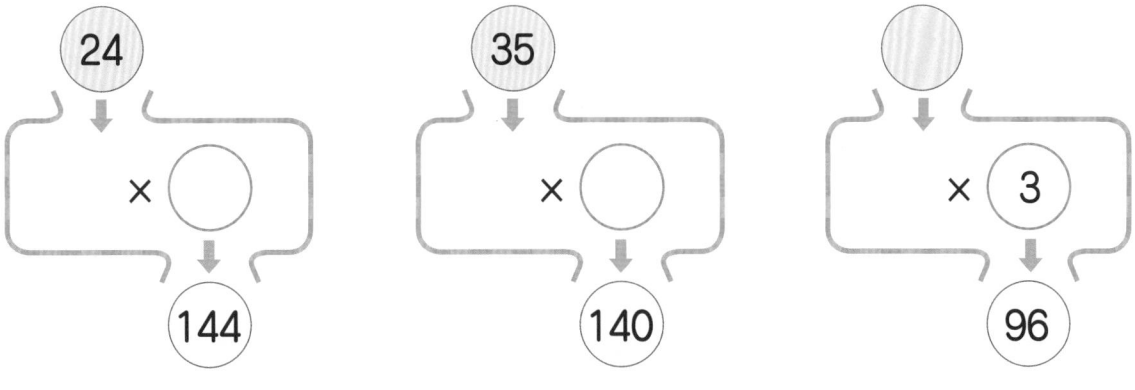

빈칸에 알맞은 수를 써넣으세요.

21 → × ( ) → 105

( ) → × 7 → 147

( ) → × 9 → 369

32 → × ( ) → 160

16 → × ( ) → 64

( ) → × 2 → 54

( ) → × 5 → 95

23 → × ( ) → 92

36 → × ( ) → 252

5일차 문장제

다음을 읽고 알맞은 곱셈식을 쓰고 답을 구하세요.

승합차 한 대에는 12명이 탈 수 있습니다. 승합차 4대에는 모두 몇 명이 탈 수 있을까요?

식 : 12 × 4 = 48

명

길이가 31cm인 색 테이프가 6개 있습니다. 색 테이프를 겹치지 않게 이어 붙이면 길이는 모두 몇 cm일까요?

식 :

cm

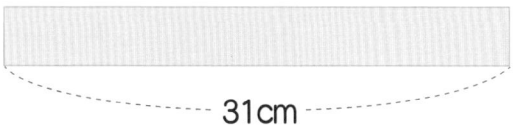

다음을 읽고 알맞은 곱셈식을 쓰고 답을 구하세요.

우유가 한 상자에 20개씩 들어 있습니다. 딸기 우유 2상자와 바나나 우유 3상자가 있다면 딸기 우유와 바나나 우유는 모두 몇 개일까요?

식 :

개

선생님께서 학생들에게 연필 7타와 9자루를 선물로 주려고 합니다. 필요한 연필은 모두 몇 자루일까요?

식 :

자루

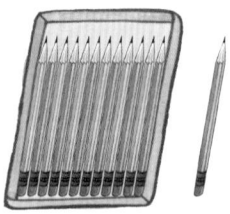

다음을 읽고 알맞은 곱셈식을 쓰고, 답을 구하세요.

민주는 한 봉지에 25개씩 들어 있는 사탕을 3봉지 샀습니다. 민주가 가진 사탕은 모두 몇 개일까요?

식 :

개

사과가 한 상자에 32개씩 들어 있습니다. 엄마가 3상자를 사서 3개를 먹었다면 남은 사과는 모두 몇 개일까요?

식 :

개

책꽂이에 책들이 한 칸에 28권씩 꽂혀 있습니다. 그 중 위인전이 3칸, 동화책이 4칸에 꽂혀 있다면 책꽂이에 꽂혀 있는 책은 모두 몇 권일까요?

식 :

권

다음을 읽고 알맞은 곱셈식을 쓰고, 답을 구하세요.

공책이 한 묶음에 40권씩 6묶음이 있습니다. 공책은 모두 몇 권일까요?

식 :

권

버스 한 대에는 34명이 탈 수 있습니다. 버스 2대에는 모두 몇 명이 탈 수 있을까요?

식 :

명

빨간 주머니에 구슬이 18개씩 9묶음 있습니다. 파란 주머니에는 빨간 주머니보다 구슬이 7개 더 있다면 파란 주머니에 담긴 구슬은 모두 몇 개일까요?

식 :

개

소마셈 C1 – 3주차

(세 자리 수) × (한 자리 수) (1)

▶ 1일차 : 몇백의 곱 42

▶ 2일차 : 갈라서 더하기 44

▶ 3일차 : 표 만들기 47

▶ 4일차 : 세로셈 (1) 51

▶ 5일차 : 세로셈 (2) 54

1일차 몇백의 곱

그림을 보고 몇백의 곱을 해 보세요.

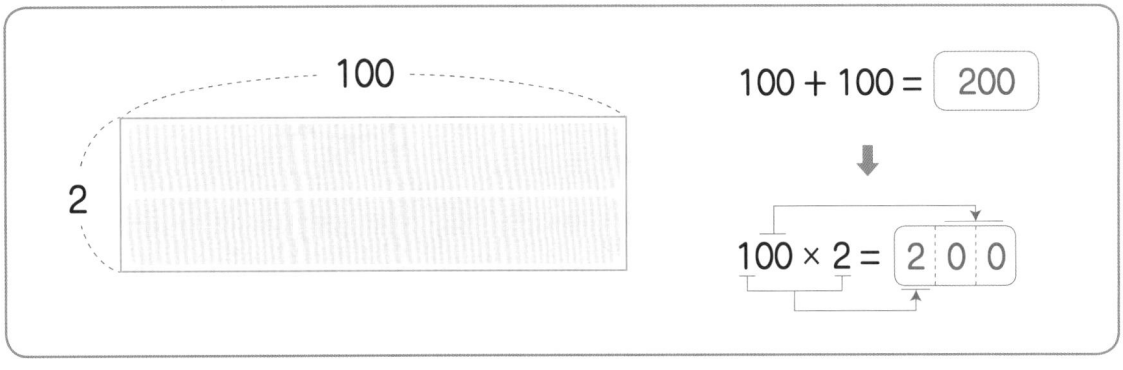

100 + 100 + 100 = ☐

100 × 3 = ☐

200 + 200 + 200 = ☐

200 × 3 = ☐

500 + 500 = ☐

500 × 2 = ☐

400 + 400 + 400 = ☐

400 × 3 = ☐

TIP

(몇백)×(몇)의 값은 (몇)×(몇)의 계산 결과의 뒤에 0을 2개 붙이면 됩니다.

□ 안에 알맞은 수를 써넣으세요.

200 × 4 = 800

100 × 7 = □

300 × 3 = □

100 × 4 = □

100 × 6 = □

200 × 4 = □

200 × 7 = □

400 × 6 = □

300 × 5 = □

400 × 4 = □

200 × 8 = □

500 × 3 = □

갈라서 더하기

그림을 보고 몇백 몇십을 갈라서 더하는 방법을 알아보고, 빈칸에 알맞은 수를 써넣으세요.

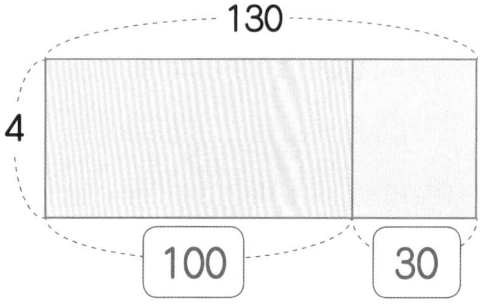

130 × 4 = 520

100 × 4 = 400

30 × 4 = 120

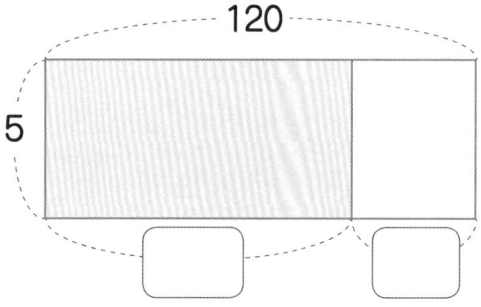

120 × 5 = ☐

☐ × 5 = ☐

☐ × 5 = ☐

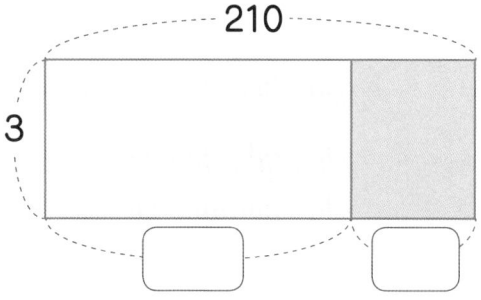

210 × 3 = ☐

☐ × 3 = ☐

☐ × 3 = ☐

TIP

(몇백 몇십)×(몇)의 계산은 (몇백 몇십)을 (몇백)과 (몇십)으로 가르기하여 각각 곱한 후 더합니다.

빈칸에 알맞은 수를 써넣으세요.

150 × 3 = 450
100 × 3 = 300
50 × 3 = 150

170 × 3 = ☐
☐ × 3 = ☐
☐ × 3 = ☐

190 × 4 = ☐
☐ × 4 = ☐
☐ × 4 = ☐

230 × 6 = ☐
☐ × 6 = ☐
☐ × 6 = ☐

260 × 2 = ☐
☐ × 2 = ☐
☐ × 2 = ☐

320 × 2 = ☐
☐ × 2 = ☐
☐ × 2 = ☐

빈칸에 알맞은 수를 써넣으세요.

270 × 4 = 1080

200 × 4 = 800

70 × 4 = 280

180 × 6 = ☐

☐ × 6 = ☐

☐ × 6 = ☐

220 × 8 = ☐

☐ × 8 = ☐

☐ × 8 = ☐

350 × 5 = ☐

☐ × 5 = ☐

☐ × 5 = ☐

240 × 5 = ☐

☐ × 5 = ☐

☐ × 5 = ☐

410 × 3 = ☐

☐ × 3 = ☐

☐ × 3 = ☐

표 만들기

그림을 보고 표를 만들어 곱하는 방법을 알아보세요.

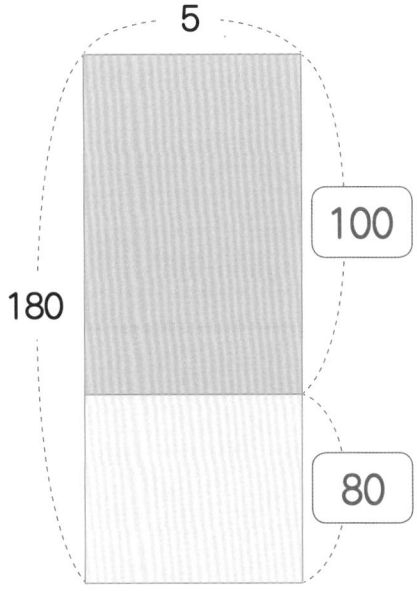

×	5
100	500
80	400
	900

180 × 5 = 500 + 400 = 900

TIP

표 만들기는 갈라서 각각을 곱한 후 더한 방법과 같습니다.

그림을 보고 빈칸에 알맞은 수를 써넣으세요.

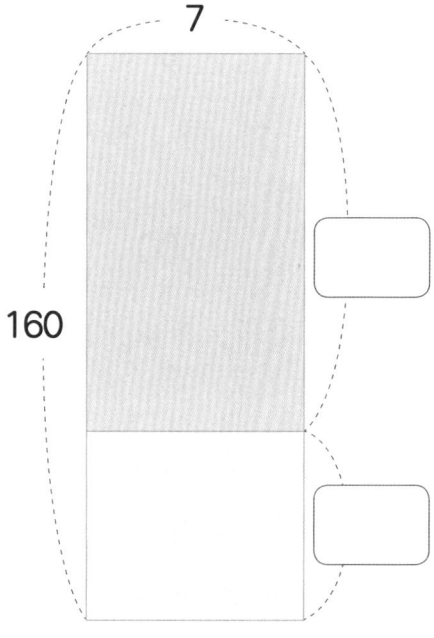

160 × 7 = ☐

×	7
100	
60	

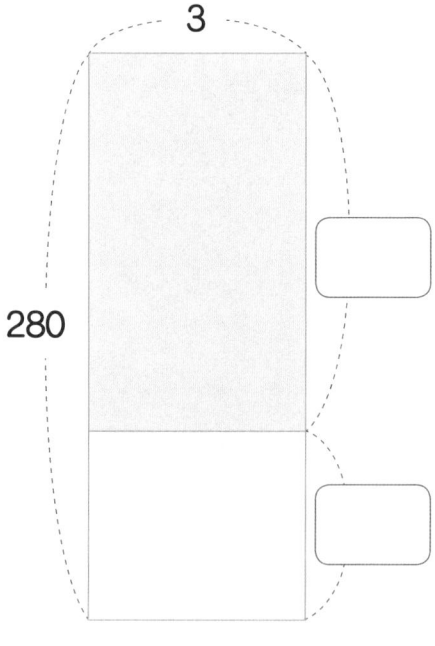

280 × 3 = ☐

×	3
200	
80	

빈칸에 알맞은 수를 써넣으세요.

140 × 6 = 840

×	6
100	600
40	240
	840

120 × 9 =

×	9
100	
20	

180 × 7 =

×	7
100	
80	

170 × 3 =

×	3
100	
70	

220 × 6 =

×	6
200	
20	

230 × 5 =

×	5
200	
30	

빈칸에 알맞은 수를 써넣으세요.

160 × 8 = 1280

×	8
100	800
60	480
	1280

210 × 6 = ☐

×	6
200	
10	

150 × 9 = ☐

×	9
100	
50	

240 × 3 = ☐

×	3
200	
40	

380 × 2 = ☐

×	2
300	
80	

430 × 5 = ☐

×	5
400	
30	

4일차 세로셈 (1)

각 자리의 위치를 맞추어 빈칸에 알맞은 수를 써넣으세요.

	1	4	0
×			3
			0 ← (0×3)

➡

	1	4	0
×			3
			0
	1	2	0 ← (40×3)

➡

	1	4	0
×			3
			0
	1	2	0
	3	0	0 ← (100×3)
	4	2	0

	1	7	0
×			4

➡

	1	7	0
×			4
			0

➡

	1	7	0
×			4
			0
	2	8	0

	2	5	0
×			6

➡

	2	5	0
×			6
			0

➡

	2	5	0
×			6
			0
	3	0	0

빈칸에 알맞은 수를 써넣으세요.

	1	3	0	
×			6	
			0	← (0×6)
	1	8	0	← (30×6)
	6	0	0	← (100×6)
	7	8	0	

	1	7	0
×			4

	2	2	0
×			3

	1	4	0
×			8

	2	5	0
×			8

	1	8	0
×			3

	1	9	0
×			7

	1	6	0
×			5

	2	3	0
×			4

빈칸에 알맞은 수를 써넣으세요.

	2	1	0	
×			6	
			0	←(0×6)
		6	0	←(10×6)
1	2	0	0	←(200×6)
1	2	6	0	

	2	3	0
×			3

	1	8	0
×			6

	3	2	0
×			4

	2	7	0
×			9

	3	6	0
×			5

	2	8	0
×			2

	3	7	0
×			7

	4	5	0
×			8

5일차 세로셈 (2)

각 자리의 위치를 맞추어 빈칸에 알맞은 수를 써넣으세요.

	2	4	0			2	4	0		2	4	0
×			3	➡	×	1		3	➡	× 1		3
			0				2	0			7	2	0
			↓				↓				↓	
			0×3=0				4×3=12				2×3+1=7	

	1	2	0			1	2	0		1	2	0
×			3	➡	×			3	➡	×		3
			□				□	□		□	□	□

	2	8	0			2	8	0		2	8	0
×			2	➡	×	□		2	➡	× □		2
			□				□	□		□	□	□

TIP

위의 방법은 4일차의 세로셈을 풀이하는 방법과 원리가 같습니다. 받아올림이 있는 경우 올림한 수는 윗자리 수의 곱과 더해서 계산합니다.

빈칸에 알맞은 수를 써넣으세요.

180 × 2 = 360	280 × 3 =	210 × 5 =
160 × 4 =	320 × 9 =	430 × 7 =
290 × 3 =	460 × 2 =	320 × 7 =
330 × 8 =	220 × 6 =	180 × 5 =

빈칸에 알맞은 수를 써넣으세요.

320 × 2 640	260 × 1 □	140 × 6 □
250 × 5 □	370 × 6 □	340 × 4 □
110 × 3 □	230 × 2 □	420 × 7 □
340 × 6 □	290 × 2 □	410 × 9 □

소마셈 C1 – 4주차

(세 자리 수) × (한 자리 수) (2)

▶ 1일차 : 갈라서 더하기 58

▶ 2일차 : 표 만들기 61

▶ 3일차 : 세로셈 (1) 65

▶ 4일차 : 세로셈 (2) 68

▶ 5일차 : 문장제 71

갈라서 더하기

그림을 보고 몇백 몇십 몇을 갈라서 더하는 방법을 알아보고, 빈칸에 알맞은 수를 써넣으세요.

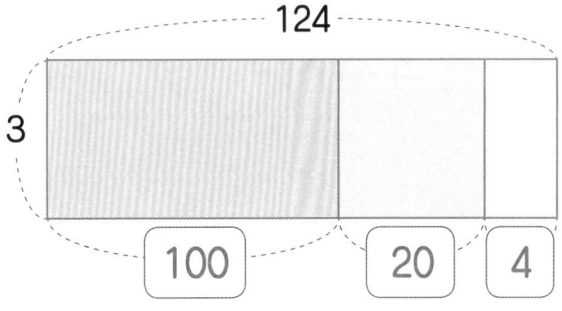

124 × 3 = 372

100 × 3 = 300

20 × 3 = 60

4 × 3 = 12

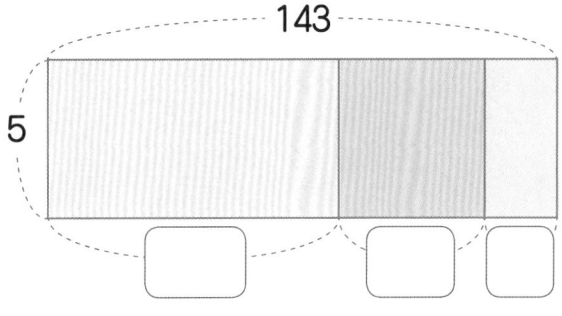

143 × 5 = ☐

☐ × 5 = ☐

☐ × 5 = ☐

☐ × 5 = ☐

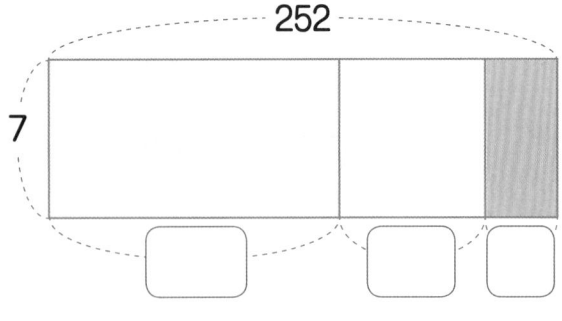

252 × 7 = ☐

☐ × 7 = ☐

☐ × 7 = ☐

☐ × 7 = ☐

TIP

(몇백 몇십 몇)×(몇)의 계산은 (몇백 몇십 몇)을 (몇백)과 (몇십), (몇)으로 가르기하여 각각 곱한 후 더합니다.

빈칸에 알맞은 수를 써넣으세요.

134 × 5 = 670
100 × 5 = 500
30 × 5 = 150
4 × 5 = 20

116 × 5 =
× 5 =
× 5 =
× 5 =

193 × 6 =
× 6 =
× 6 =
× 6 =

182 × 4 =
× 4 =
× 4 =
× 4 =

257 × 3 =
× 3 =
× 3 =
× 3 =

239 × 2 =
× 2 =
× 2 =
× 2 =

빈칸에 알맞은 수를 써넣으세요.

226 × 6 = 1356
200 × 6 = 1200
20 × 6 = 120
6 × 6 = 36

228 × 3 = ☐
☐ × 3 = ☐
☐ × 3 = ☐
☐ × 3 = ☐

153 × 7 = ☐
☐ × 7 = ☐
☐ × 7 = ☐
☐ × 7 = ☐

261 × 4 = ☐
☐ × 4 = ☐
☐ × 4 = ☐
☐ × 4 = ☐

324 × 2 = ☐
☐ × 2 = ☐
☐ × 2 = ☐
☐ × 2 = ☐

352 × 5 = ☐
☐ × 5 = ☐
☐ × 5 = ☐
☐ × 5 = ☐

표 만들기

그림을 보고 표를 만들어 곱하는 방법을 알아보세요.

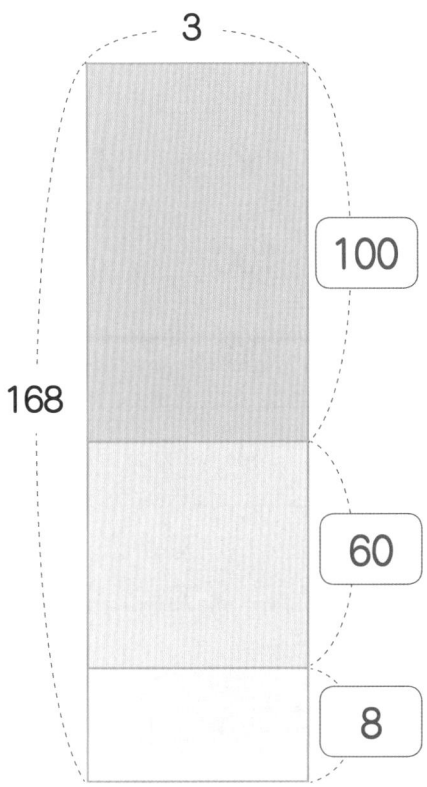

×	3
100	300
60	180
8	24
	504

168 × 3 = 300 + 180 + 24 = 504

그림을 보고 빈칸에 알맞은 수를 써넣으세요.

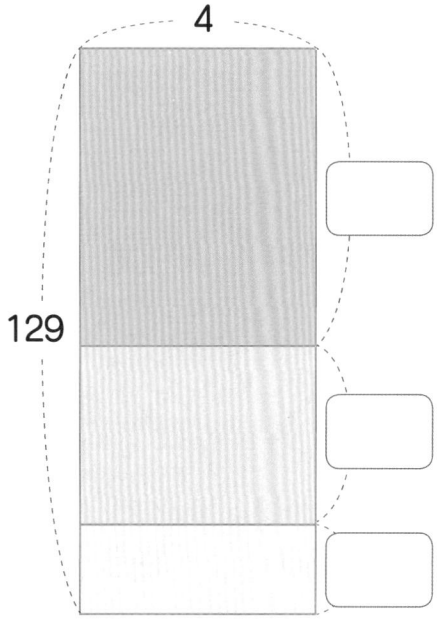

129 × 4 = ☐

×	4
100	
20	
9	

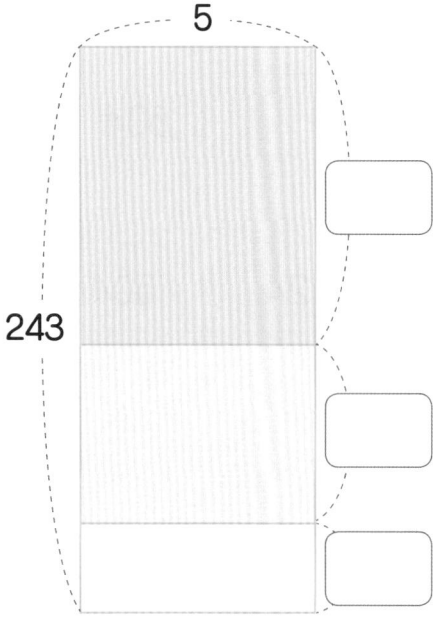

243 × 5 = ☐

×	5
200	
40	
3	

빈칸에 알맞은 수를 써넣으세요.

153 × 6 = 918

×	6
100	600
50	300
3	18
	918

115 × 8 = ☐

×	8
100	
10	
5	

193 × 3 = ☐

×	3
100	
90	
3	

164 × 7 = ☐

×	7
100	
60	
4	

218 × 6 = ☐

×	6
200	
10	
8	

273 × 8 = ☐

×	8
200	
70	
3	

빈칸에 알맞은 수를 써넣으세요.

242 × 7 = 1694

×	7
200	1400
40	280
2	14
	1694

184 × 6 = ☐

×	6
100	
80	
4	

237 × 8 = ☐

×	8
200	
30	
7	

362 × 4 = ☐

×	4
300	
60	
2	

388 × 5 = ☐

×	5
300	
80	
8	

429 × 3 = ☐

×	3
400	
20	
9	

세로셈 (1)

각 자리의 위치를 맞추어 빈칸에 알맞은 수를 써넣으세요.

	1	5	3
×			4
		1	2 ← (3×4)

➡

	1	5	3
×			4
		1	2
	2	0	0 ← (50×4)

➡

	1	5	3
×			4
		1	2
	2	0	0
	4	0	0 ← (100×4)
	6	1	2

	1	6	2
×			8

➡

	1	6	2
×			8
		1	6

➡

	1	6	2
×			8
		1	6
	4	8	0

	2	3	5
×			7

➡

	2	3	5
×			7
		3	5

➡

	2	3	5
×			7
		3	5
	2	1	0

빈칸에 알맞은 수를 써넣으세요.

	1	3	9	
×			2	
		1	8	←(9×2)
		6	0	←(30×2)
	2	0	0	←(100×2)
	2	7	8	

	1	5	5
×			7

	2	4	4
×			5

	2	5	1
×			5

	2	6	3
×			9

	1	8	3
×			8

	1	6	5
×			7

	1	7	2
×			8

	2	2	8
×			4

빈칸에 알맞은 수를 써넣으세요.

	2	2	8	
×			6	
		4	8	←(8×6)
	1	2	0	←(20×6)
1	2	0	0	←(200×6)
1	3	6	8	

	2	1	7
×			7

	1	5	8
×			6

	3	4	5
×			3

	5	2	8
×			3

	2	7	6
×			4

	2	9	2
×			5

	4	2	3
×			7

	3	5	8
×			8

4일차 세로셈 (2)

각 자리의 위치를 맞추어 빈칸에 알맞은 수를 써넣으세요.

2 3 5 × 2 4 0 ↓ 5×4=20	➡	2 3 5 × 1 2 4 4 0 ↓ 3×4+2=14
➡		2 3 5 × 1 2 4 9 4 0 ↓ 2×4+1= 9

2 1 8
× □ 3
□

➡

2 1 8
× □ 3
□□

➡

2 1 8
× □ 3
□□□

1 7 9
× □ 4
□

➡

1 7 9
× □□ 4
□□

➡

1 7 9
× □□ 4
□□□

TIP

위의 방법은 3일차의 세로셈을 풀이하는 방법과 원리가 같습니다. 받아올림이 있는 경우 올림한 수는 윗자리 수의 곱과 더해서 계산합니다.

빈칸에 알맞은 수를 써넣으세요.

165 × 437 1155	188 × 3 □	245 × 3 □
192 × 8 □	326 × 6 □	418 × 7 □
345 × 6 □	207 × 7 □	383 × 5 □
251 × 9 □	128 × 4 □	244 × 4 □

빈칸에 알맞은 수를 써넣으세요.

283 × 2 3 849	223 × 3 □	157 × 8 □
209 × 6 □	338 × 2 □	476 × 6 □
357 × 8 □	549 × 2 □	176 × 5 □
463 × 4 □	256 × 8 □	431 × 5 □

문장제

다음을 읽고 알맞은 곱셈식을 쓰고, 답을 구하세요.

꽃이 140송이씩 심어져 있는 화단이 3개 있습니다. 그 중에서 35송이가 시들어서 버렸습니다. 화단에 남은 꽃은 모두 몇 송이일까요?

식 : $140 \times 3 = 420$, $420 - 35 = 385$

송이

은수네 학교는 2층입니다. 사물함이 한 층에 135개씩 있을 때, 은수네 학교에 있는 사물함은 모두 몇 개일까요?

식 :

개

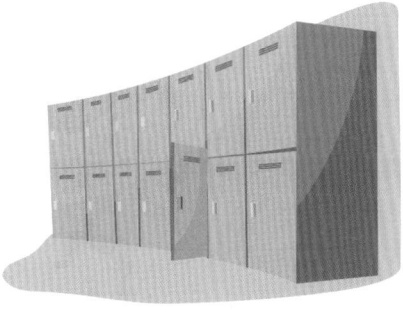

다음을 읽고 알맞은 곱셈식을 쓰고, 답을 구하세요.

민주가 판매할 딸기를 상자에 담았습니다. 큰 딸기는 110개씩 3상자에 담고, 작은 딸기는 한 상자에 130개씩 4상자에 담았습니다. 상자에 담은 딸기는 모두 몇 개일까요?

식 :

개

성환이는 줄넘기를 하루에 155번씩 합니다. 일주일 동안 성환이는 줄넘기를 몇 번할까요?

식 :

번

다음을 읽고 알맞은 곱셈식을 쓰고, 답을 구하세요.

하루 동안 라디오를 184대 만드는 공장이 있습니다. 이 공장에서 4일 동안 만들 수 있는 라디오는 모두 몇 대일까요?

식 :

대

수경이는 문방구에서 450원짜리 공책 2권과 250원짜리 지우개 2개를 샀습니다. 수경이가 산 공책과 지우개의 값은 모두 얼마일까요?

식 :

원

버스가 하루에 273대씩 지나가는 정류소가 있습니다. 3일 동안 이 정류소를 지나가는 버스는 모두 몇 대일까요?

식 :

대

다음을 읽고 알맞은 곱셈식을 쓰고, 답을 구하세요.

정규는 구슬을 136개씩 8묶음 가지고 있습니다. 그 중 64개를 친구들에게 나누어 주었습니다. 정규에게 남은 구슬은 모두 몇 개일까요?

식 :

개

지하철 한 칸에 159명씩, 같은 수의 사람이 6칸에 타고 있습니다. 다음 정거장에서 40명이 더 탔습니다. 지하철에 타고 있는 사람은 모두 몇 명일까요?

식 :

명

신문이 한 묶음에 277장씩 5묶음이 포장되어 있습니다. 포장된 신문은 모두 몇 장일까요?

식 :

장

보충학습

Drill

(두 자리 수)×(한 자리 수) (1)

빈칸에 알맞은 수를 써넣으세요.

16 × 5 = ☐

×	5
10	
6	

13 × 9 = ☐

×	9
10	
3	

32 × 3 = ☐

×	3
30	
2	

22 × 7 = ☐

×	7
20	
2	

24 × 4 = ☐

×	4
20	
4	

18 × 8 = ☐

×	8
10	
8	

빈칸에 알맞은 수를 써넣으세요.

24 × 6 = ☐

×	6
20	
4	

36 × 8 = ☐

×	8
30	
6	

29 × 9 = ☐

×	9
20	
9	

42 × 7 = ☐

×	7
40	
2	

37 × 4 = ☐

×	4
30	
7	

53 × 3 = ☐

×	3
50	
3	

빈칸에 알맞은 수를 써넣으세요.

	1	4
×		9
	3	6
	9	0
1	2	6

	1	8
×		4

	2	6
×		3

	2	7
×		7

	3	2
×		5

	1	2
×		8

	4	4
×		3

	1	6
×		5

	2	2
×		8

빈칸에 알맞은 수를 써넣으세요.

	2	8
×		2

	2	6
×		7

	4	7
×		8

	2	3
×		9

	3	6
×		6

	2	8
×		5

	5	9
×		3

	4	6
×		5

	7	1
×		8

빈칸에 알맞은 수를 써넣으세요.

16 × 4 =	18 × 7 =	26 × 3 =
24 × 8 =	33 × 7 =	38 × 4 =
42 × 8 =	29 × 5 =	34 × 5 =
28 × 7 =	35 × 6 =	47 × 3 =

빈칸에 알맞은 수를 써넣으세요.

3 2 × 5	2 3 × 8	1 8 × 6
2 5 × 5	5 9 × 7	3 6 × 2
3 7 × 9	2 4 × 6	6 2 × 5
4 2 × 9	3 8 × 8	7 1 × 3

빈칸에 알맞은 수를 써넣으세요.

15 × 6 =	14 × 7 =	23 × 4 =
25 × 8 =	34 × 3 =	36 × 8 =
43 × 4 =	28 × 7 =	35 × 4 =
29 × 6 =	33 × 7 =	44 × 5 =

빈칸에 알맞은 수를 써넣으세요.

1 8 × 8 □	2 4 × 6 □	3 5 × 4 □
2 3 × 6 □	3 4 × 7 □	3 8 × 9 □
4 2 × 7 □	2 8 × 7 □	3 3 × 6 □
2 9 × 5 □	3 4 × 6 □	4 3 × 6 □

(두 자리 수)×(한 자리 수) (2)

빈칸에 알맞은 수를 써넣으세요.

19 × 5 =	27 × 6 =	18 × 2 =
12 × 9 =	50 × 7 =	42 × 5 =
33 × 2 =	27 × 3 =	80 × 4 =
22 × 9 =	25 × 8 =	61 × 6 =

빈칸에 알맞은 수를 써넣으세요.

3 7 × 5 □	2 4 × 8 □	2 8 × 2 □
6 0 × 5 □	2 8 × 8 □	7 0 × 4 □
3 6 × 5 □	2 7 × 3 □	4 4 × 2 □
5 2 × 5 □	2 9 × 9 □	1 7 × 7 □

빈칸에 알맞은 수를 써넣으세요.

40 × 3 =	13 × 9 =	22 × 5 =
33 × 6 =	22 × 7 =	40 × 6 =
37 × 5 =	48 × 8 =	90 × 2 =
38 × 4 =	23 × 9 =	17 × 6 =

빈칸에 알맞은 수를 써넣으세요.

1 8 × 8 □	5 3 × 6 □	6 0 × 6 □
7 2 × 2 □	6 1 × 8 □	5 7 × 4 □
3 3 × 6 □	4 4 × 4 □	1 9 × 9 □
6 2 × 6 □	8 0 × 8 □	5 5 × 4 □

빈칸에 알맞은 수를 써넣으세요.

5 1 × 8 _____ □	4 3 × 3 _____ □	5 3 × 5 _____ □
4 5 × 8 _____ □	2 3 × 6 _____ □	5 5 × 7 _____ □
1 9 × 3 _____ □	6 2 × 6 _____ □	8 2 × 7 _____ □
5 4 × 4 _____ □	7 3 × 9 _____ □	6 5 × 4 _____ □

빈칸에 알맞은 수를 써넣으세요.

$$\begin{array}{r} 42 \\ \times\ \ 7 \\ \hline \square \end{array} \qquad \begin{array}{r} 54 \\ \times\ \ 6 \\ \hline \square \end{array} \qquad \begin{array}{r} 48 \\ \times\ \ 7 \\ \hline \square \end{array}$$

$$\begin{array}{r} 26 \\ \times\ \ 5 \\ \hline \square \end{array} \qquad \begin{array}{r} 47 \\ \times\ \ 9 \\ \hline \square \end{array} \qquad \begin{array}{r} 53 \\ \times\ \ 8 \\ \hline \square \end{array}$$

$$\begin{array}{r} 17 \\ \times\ \ 6 \\ \hline \square \end{array} \qquad \begin{array}{r} 63 \\ \times\ \ 7 \\ \hline \square \end{array} \qquad \begin{array}{r} 83 \\ \times\ \ 6 \\ \hline \square \end{array}$$

$$\begin{array}{r} 45 \\ \times\ \ 8 \\ \hline \square \end{array} \qquad \begin{array}{r} 78 \\ \times\ \ 6 \\ \hline \square \end{array} \qquad \begin{array}{r} 64 \\ \times\ \ 7 \\ \hline \square \end{array}$$

빈칸에 알맞은 수를 써넣으세요.

□ 8 × 3 2 0 □	3 □ × 9 3 □ 5	□ □ × 4 9 2
1 6 × □ 6 4	1 8 × □ 1 □ 2	□ □ × 5 8 0
5 □ × 7 3 □ 1	7 □ × 5 □ 7 5	4 □ × 3 1 □ 8
□ 8 × 2 5 □	5 6 × □ 3 □ 6	8 □ × 2 □ 7 4

빈칸에 알맞은 수를 써넣으세요.

□ 7 × 5 8 □	2 □ × 8 2 □ 8	□ □ × 3 5 1
4 □ × 9 3 □ 7	□ □ × 7 1 6 8	5 6 × □ 2 □ 0
7 1 × □ 6 3 9	□ 4 × 3 1 0 □	9 □ × 1 □ 9
2 7 × □ 1 □ 2	5 □ × 3 1 □ 9	1 8 × □ 1 □ 4

(세 자리 수)×(한 자리 수) (1)

빈칸에 알맞은 수를 써넣으세요.

170 × 7 = ☐

×	7
100	
70	

240 × 6 = ☐

×	6
200	
40	

130 × 9 = ☐

×	9
100	
30	

270 × 4 = ☐

×	4
200	
70	

360 × 5 = ☐

×	5
300	
60	

470 × 5 = ☐

×	5
400	
70	

빈칸에 알맞은 수를 써넣으세요.

150 × 9 = ☐

×	9
100	
50	

210 × 7 = ☐

×	7
200	
10	

180 × 6 = ☐

×	6
100	
80	

240 × 4 = ☐

×	4
200	
40	

350 × 5 = ☐

×	5
300	
50	

490 × 2 = ☐

×	2
400	
90	

빈칸에 알맞은 수를 써넣으세요.

	1	6	0
×			6
			0
	3	6	0
	6	0	0
	9	6	0

	1	4	0
×			7

	2	5	0
×			8

	2	4	0
×			3

	1	9	0
×			7

	1	7	0
×			8

	2	6	0
×			2

	2	1	0
×			9

	3	1	0
×			7

빈칸에 알맞은 수를 써넣으세요.

	1	8	0
×			7

	1	6	0
×			7

	2	7	0
×			4

	1	7	0
×			9

	2	5	0
×			2

	2	6	0
×			8

	3	6	0
×			5

	2	8	0
×			9

	4	1	0
×			4

빈칸에 알맞은 수를 써넣으세요.

170 × 5 □	140 × 7 □	230 × 8 □
190 × 2 □	230 × 3 □	240 × 4 □
180 × 5 □	230 × 7 □	330 × 8 □
220 × 5 □	270 × 7 □	420 × 6 □

빈칸에 알맞은 수를 써넣으세요.

190 × 6 =	180 × 7 =	230 × 9 =
370 × 5 =	130 × 2 =	220 × 7 =
190 × 8 =	330 × 5 =	330 × 2 =
260 × 2 =	430 × 7 =	450 × 6 =

빈칸에 알맞은 수를 써넣으세요.

150 × 4 =	130 × 7 =	230 × 6 =
140 × 2 =	230 × 5 =	250 × 7 =
180 × 4 =	220 × 6 =	330 × 7 =
230 × 6 =	280 × 5 =	420 × 5 =

빈칸에 알맞은 수를 써넣으세요.

140 × 6 =	170 × 5 =	230 × 8 =
360 × 4 =	130 × 3 =	220 × 8 =
170 × 6 =	340 × 5 =	340 × 7 =
260 × 5 =	430 × 8 =	440 × 6 =

(세 자리 수)×(한 자리 수) (2)

빈칸에 알맞은 수를 써넣으세요.

238 × 6 = ☐

×	6
200	
30	
8	

178 × 7 = ☐

×	7
100	
70	
8	

218 × 8 = ☐

×	8
200	
10	
8	

367 × 5 = ☐

×	5
300	
60	
7	

524 × 6 = ☐

×	6
500	
20	
4	

434 × 9 = ☐

×	9
400	
30	
4	

빈칸에 알맞은 수를 써넣으세요.

137 × 6 = ☐

×	6
100	
30	
7	

198 × 2 = ☐

×	2
100	
90	
8	

241 × 5 = ☐

×	5
200	
40	
1	

222 × 4 = ☐

×	4
200	
20	
2	

327 × 3 = ☐

×	3
300	
20	
7	

432 × 8 = ☐

×	8
400	
30	
2	

빈칸에 알맞은 수를 써넣으세요.

	1	4	5
×			3
		1	5
	1	2	0
	3	0	0
	4	3	5

	1	6	8
×			7

	2	5	6
×			4

	2	7	3
×			8

	1	9	2
×			7

	1	8	4
×			9

	3	6	5
×			4

	2	1	9
×			9

	3	4	8
×			4

빈칸에 알맞은 수를 써넣으세요.

	3	2	4
×			6

	1	8	7
×			7

	2	5	6
×			8

	3	4	9
×			3

	4	3	6
×			5

	5	2	7
×			4

	2	8	9
×			8

	4	6	3
×			2

	5	5	8
×			4

빈칸에 알맞은 수를 써넣으세요.

176 × 5 =	138 × 7 =	239 × 7 =
241 × 9 =	356 × 7 =	448 × 3 =
145 × 8 =	235 × 7 =	382 × 4 =
266 × 5 =	427 × 3 =	206 × 8 =

빈칸에 알맞은 수를 써넣으세요.

2 7 7 × 4 □	3 1 8 × 8 □	1 9 2 × 8 □
2 5 6 × 6 □	3 2 8 × 3 □	4 2 6 × 7 □
3 8 7 × 4 □	5 0 9 × 5 □	2 8 9 × 7 □
4 5 2 × 7 □	6 1 2 × 8 □	5 3 7 × 2 □

빈칸에 알맞은 수를 써넣으세요.

2 5 3 × 6	3 1 7 × 7	1 9 3 × 7
2 4 6 × 7	3 2 7 × 4	4 2 5 × 6
3 7 4 × 2	5 8 9 × 4	2 3 3 × 6
4 5 3 × 3	6 2 4 × 7	5 4 6 × 3

빈칸에 알맞은 수를 써넣으세요.

$$\begin{array}{r} 263 \\ \times \quad 7 \\ \hline \end{array}$$

$$\begin{array}{r} 329 \\ \times \quad 6 \\ \hline \end{array}$$

$$\begin{array}{r} 178 \\ \times \quad 5 \\ \hline \end{array}$$

$$\begin{array}{r} 246 \\ \times \quad 3 \\ \hline \end{array}$$

$$\begin{array}{r} 317 \\ \times \quad 8 \\ \hline \end{array}$$

$$\begin{array}{r} 425 \\ \times \quad 3 \\ \hline \end{array}$$

$$\begin{array}{r} 372 \\ \times \quad 6 \\ \hline \end{array}$$

$$\begin{array}{r} 519 \\ \times \quad 6 \\ \hline \end{array}$$

$$\begin{array}{r} 276 \\ \times \quad 7 \\ \hline \end{array}$$

$$\begin{array}{r} 453 \\ \times \quad 8 \\ \hline \end{array}$$

$$\begin{array}{r} 614 \\ \times \quad 7 \\ \hline \end{array}$$

$$\begin{array}{r} 546 \\ \times \quad 3 \\ \hline \end{array}$$

Note

소마의 마술같은 원리셈

정답

정답

P 10 ~ 11

1일차 몇십의 곱

그림을 보고 몇십의 곱을 해 보세요.

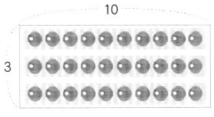

10 + 10 + 10 = 30

10 × 3 = 30

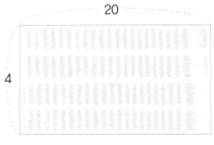

20 + 20 + 20 + 20 = 80

20 × 4 = 80

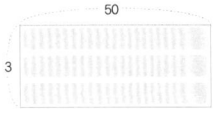

50 + 50 + 50 = 150

50 × 3 = 150

TIP (몇십)×(몇)의 값은 (몇)×(몇)의 계산 결과의 뒤에 0을 1개 붙이면 됩니다.

1주 월 일

□ 안에 알맞은 수를 써넣으세요.

20 + 20 = 40

20 × 2 = 40

60 + 60 + 60 + 60 + 60 + 60 = 360

60 × 6 = 360

70 + 70 + 70 = 210

70 × 3 = 210

40 + 40 + 40 + 40 + 40 = 200

40 × 5 = 200

50 + 50 + 50 + 50 = 200

50 × 4 = 200

80 + 80 + 80 + 80 = 320

80 × 4 = 320

P 12 ~ 13

1주

□ 안에 알맞은 수를 써넣으세요.

20 × 7 = 140

10 × 7 = 70

30 × 2 = 60

20 × 5 = 100

10 × 6 = 60

40 × 4 = 160

50 × 2 = 100

40 × 7 = 280

40 × 8 = 320

60 × 2 = 120

20 × 8 = 160

70 × 3 = 210

2일차 갈라서 더하기

그림을 보고 몇십 몇을 갈라서 더하는 방법을 알아보고, 빈칸에 알맞은 수를 써넣으세요.

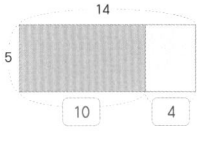

14 × 5 = 70

10 × 5 = 50

4 × 5 = 20

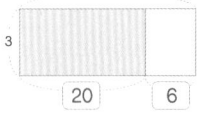

26 × 3 = 78

20 × 3 = 60

6 × 3 = 18

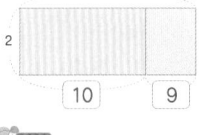

19 × 2 = 38

10 × 2 = 20

9 × 2 = 18

TIP (몇십 몇)×(몇)의 계산은 (몇십 몇)을 (몇십)과 (몇)으로 가르기하여 각각 곱한 후 더합니다.

신나는 연산!

빈칸에 알맞은 수를 써넣으세요.

14 × 5 = 70	12 × 8 = 96
10 × 5 = 50	10 × 8 = 80
4 × 5 = 20	2 × 8 = 16
15 × 5 = 75	21 × 4 = 84
10 × 5 = 50	20 × 4 = 80
5 × 5 = 25	1 × 4 = 4
28 × 3 = 84	36 × 2 = 72
20 × 3 = 60	30 × 2 = 60
8 × 3 = 24	6 × 2 = 12

빈칸에 알맞은 수를 써넣으세요.

26 × 6 = 156	22 × 7 = 154
20 × 6 = 120	20 × 7 = 140
6 × 6 = 36	2 × 7 = 14
34 × 5 = 170	18 × 7 = 126
30 × 5 = 150	10 × 7 = 70
4 × 5 = 20	8 × 7 = 56
25 × 3 = 75	38 × 3 = 114
20 × 3 = 60	30 × 3 = 90
5 × 3 = 15	8 × 3 = 24

3 일 차

표 만들기

그림을 보고 표를 만들어 곱하는 방법을 알아보세요.

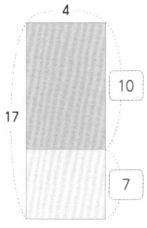

×	4
10	40
7	28
	68

17 × 4 = 40 + 28 = 68

TIP
표 만들기는 갈라서 각각을 곱한 후 더한 방법과 같습니다.

그림을 보고 빈칸에 알맞은 수를 써넣으세요.

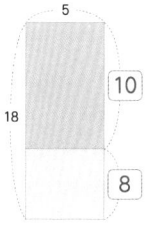

18 × 5 = 90

×	5
10	50
8	40
	90

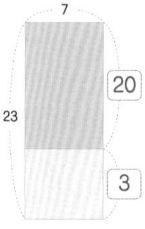

23 × 7 = 161

×	7
20	140
3	21
	161

정답

P 18 ~ 19

신나는 연산!

빈칸에 알맞은 수를 써넣으세요.

13 × 6 = 78

×	6
10	60
3	18
	78

16 × 8 = 128

×	8
10	80
6	48
	128

14 × 9 = 126

×	9
10	90
4	36
	126

17 × 7 = 119

×	7
10	70
7	49
	119

25 × 4 = 100

×	4
20	80
5	20
	100

23 × 8 = 184

×	8
20	160
3	24
	184

빈칸에 알맞은 수를 써넣으세요.

32 × 7 = 224

×	7
30	210
2	14
	224

24 × 8 = 192

×	8
20	160
4	32
	192

37 × 5 = 185

×	5
30	150
7	35
	185

25 × 5 = 125

×	5
20	100
5	25
	125

43 × 6 = 258

×	6
40	240
3	18
	258

39 × 7 = 273

×	7
30	210
9	63
	273

P 20 ~ 21

4일차 세로셈 (1)

각 자리의 위치를 맞추어 빈칸에 알맞은 수를 써넣으세요.

```
  1 6        1 6        1 6
×   4      ×   4      ×   4
  2 4 ←(6×4) 2 4        2 4
                4 0 ←(10×4) 4 0
                          6 4
```

```
  1 8        1 8        1 8
×   5      ×   5      ×   5
  4 0        4 0        4 0
             5 0        5 0
                        9 0
```

```
  2 6        2 6        2 6
×   7      ×   7      ×   7
  4 2        4 2        4 2
           1 4 0      1 4 0
                      1 8 2
```


빈칸에 알맞은 수를 써넣으세요.

```
  1 5
×   7
  3 5 ←(5×7)
  7 0 ←(10×7)
1 0 5
```

```
  1 8
×   6
  4 8
  6 0
1 0 8
```

```
  2 4
×   5
  2 0
1 0 0
1 2 0
```

```
  2 9
×   3
  2 7
  6 0
  8 7
```

```
  3 5
×   8
  4 0
2 4 0
2 8 0
```

```
  1 7
×   7
  4 9
  7 0
1 1 9
```

```
  2 6
×   5
  3 0
1 0 0
1 3 0
```

```
  1 9
×   5
  4 5
  5 0
  9 5
```

```
  3 4
×   8
  3 2
2 4 0
2 7 2
```

1주

빈칸에 알맞은 수를 써넣으세요.

26 × 7 = 182 (42 ← (6×7), 140 ← (20×7))	19 × 9 = 171	23 × 6 = 138
28 × 7 = 196	35 × 5 = 175	12 × 9 = 108
34 × 5 = 170	41 × 7 = 287	46 × 3 = 138

5일차

세로셈 (2)

P 22 ~ 23

각 자리의 위치를 맞추어 빈칸에 알맞은 수를 써넣으세요.

16 × 4 ➡ 16 × 24 ➡ 16 × 24

4 → 6×4=24 ; 64 → 1×4+2=6

19 × 5 ➡ 19 × 45 ➡ 19 × 45

5 ; 95

26 × 3 ➡ 26 × 13 ➡ 26 × 13

8 ; 78

TIP

위의 방법은 4일차의 세로셈을 풀이하는 방법과 원리가 같습니다. 받아올림이 있는 경우 올림한 수는 윗자리 수의 곱과 더해서 계산합니다.

신나는 연산!

빈칸에 알맞은 수를 써넣으세요.

18 × 34 = 72	14 × 9 = 126	23 × 3 = 69
26 × 6 = 156	31 × 7 = 217	34 × 3 = 102
27 × 8 = 216	29 × 3 = 87	43 × 3 = 129
38 × 2 = 76	43 × 5 = 215	24 × 8 = 192

1주 월 일

P 24 ~ 25

빈칸에 알맞은 수를 써넣으세요.

33 × 16 = 198	23 × 6 = 138	18 × 6 = 108
44 × 2 = 88	35 × 6 = 210	53 × 8 = 424
39 × 3 = 117	53 × 2 = 106	24 × 3 = 72
40 × 9 = 360	28 × 5 = 140	66 × 3 = 198

P 28 ~ 29

1일차 곱셈표

2주 월 일

빈칸에 알맞은 수를 써넣으세요.

×	1	2
20		40
21	21	

20×2=40

21×1=21

➡

×	1	2
20	20	40
21	21	42

×	1	2	3
10	10	20	30
11	11	22	33
12	12	24	36

×	1	2	3
13	13	26	39
14	14	28	42
15	15	30	45

×	2	3	4
16	32	48	64
17	34	51	68
18	36	54	72

×	2	3	4
19	38	57	76
20	40	60	80
21	42	63	84

빈칸에 알맞은 수를 써넣으세요.

×	7	8
16	112	128
17	119	136

×	4	5
19	76	95
20	80	100

×	2	3	4
13	26	39	52
14	28	42	56
15	30	45	60

×	4	5	6
10	40	50	60
11	44	55	66
12	48	60	72

×	3	4	5
20	60	80	100
21	63	84	105
22	66	88	110

×	5	6	7
30	150	180	210
31	155	186	217
32	160	192	224

P 30 ~ 31

2일차 벌레 먹은 곱셈 (1)

2주 월 일

곱셈식의 일부분이 찢어져 보이지 않습니다. □ 안에 들어갈 알맞은 수를 모두 써 보세요.

$\begin{array}{r} \times\ \ 2\square \\ 4 \end{array}$ ➡ $\begin{array}{r} \times\ \ 22 \\ 4 \end{array}$ $\times$ $\begin{array}{r} \times\ \ 27 \\ 4 \end{array}$

□ = 2, 7

2×2= 4

2×7=14

$\begin{array}{r} \times\ \ 2\square \\ 2 \end{array}$ □ = 1, 6

$\begin{array}{r} \times\ \ 2\square \\ 6 \end{array}$ □ = 3, 8

$\begin{array}{r} \times\ \ 2\square \\ 8 \end{array}$ □ = 4, 9

$\begin{array}{r} \times\ \ 4\square \\ 8 \end{array}$ □ = 2, 7

$\begin{array}{r} \times\ \ 4\square \\ 6 \end{array}$ □ = 4, 9

$\begin{array}{r} \times\ \ 4\square \\ 2 \end{array}$ □ = 3, 8

TIP
벌레 먹은 곱셈은 두 수의 곱의 끝자리 수(일의 자리 수)를 이용하여 풀이할 수 있습니다.
곱셈구구의 각 단의 곱에서 일의 자리 수가 무엇인지 생각해 봅니다.

곱셈식의 일부분이 찢어져 보이지 않습니다. □ 안에 들어갈 알맞은 수를 모두 써 보세요.

$\begin{array}{r} \times\ \ 4\square \\ 4 \end{array}$ □ = 1, 6

$\begin{array}{r} \times\ \ 6\square \\ 2 \end{array}$ □ = 2, 7

$\begin{array}{r} \times\ \ 6\square \\ 6 \end{array}$ □ = 1, 6

$\begin{array}{r} \times\ \ 6\square \\ 4 \end{array}$ □ = 4, 9

$\begin{array}{r} \times\ \ 6\square \\ 8 \end{array}$ □ = 3, 8

$\begin{array}{r} \times\ \ 8\square \\ 4 \end{array}$ □ = 3, 8

$\begin{array}{r} \times\ \ 8\square \\ 8 \end{array}$ □ = 1, 6

$\begin{array}{r} \times\ \ 8\square \\ 2 \end{array}$ □ = 4, 9

$\begin{array}{r} \times\ \ 8\square \\ 6 \end{array}$ □ = 2, 7

2주

곱셈식의 일부분이 찢어져 보이지 않습니다. □ 안에 들어갈 알맞은 수를 모두 써 보세요.

× 7 □ / 2	× 5 □ / 5	× 3 □ / 2
□ = 6	□ = 1,3,5,7,9	□ = 4
× 3 □ / 8	× 7 □ / 1	× 7 □ / 9
□ = 6	□ = 3	□ = 7
× 9 □ / 7	× 9 □ / 4	× 9 □ / 1
□ = 3	□ = 6	□ = 9

TIP
짝수와의 곱에서 일의 자리 수는 일정한 수가 반복되므로 □ 안에 들어갈 수는 여러 가지 경우가 있으나, 5를 제외한 홀수와의 곱에서 일의 자리 수는 모두 다르므로 □ 안에 들어갈 수는 한 가지씩입니다.

3 일차

벌레 먹은 곱셈 (2)

P 32 ~ 33

빈칸에 알맞은 수를 써넣으세요.

58 × 3 = 174	45 × 9 = 405	13 × 6 = 78
24 × 3 = 72	58 × 9 = 522	12 × 5 = 60
63 × 7 = 441	85 × 5 = 425	56 × 3 = 168
48 × 2 = 96	86 × 6 = 516	52 × 2 = 104

2주 월 일

빈칸에 알맞은 수를 써넣으세요.

17 × 4 = 68	26 × 8 = 208	27 × 3 = 81
53 × 9 = 477	34 × 7 = 238	76 × 5 = 380
31 × 9 = 279	44 × 3 = 132	69 × 1 = 69
37 × 6 = 222	83 × 3 = 249	28 × 8 = 224

4 일차

수 상자

P 34 ~ 35

빈칸에 알맞은 수를 써넣으세요.

13 → × 5 → 65	17 → × 4 → 68	21 → × 4 → 84
26 → × 3 → 78	12 → × 4 → 48	19 → × 6 → 114
24 → × 6 → 144	35 → × 4 → 140	32 → × 3 → 96

P 36 ~ 37

2주 월 일

빈칸에 알맞은 수를 써넣으세요.

21 → × 5 → 105	21 → × 7 → 147	41 → × 9 → 369
32 → × 5 → 160	16 → × 4 → 64	27 → × 2 → 54
19 → × 5 → 95	23 → × 4 → 92	36 → × 7 → 252

5일차 문장제

다음을 읽고 알맞은 곱셈식을 쓰고 답을 구하세요.

승합차 한 대에는 12명이 탈 수 있습니다. 승합차 4대에는 모두 몇 명이 탈 수 있을까요?

식 : 12 × 4 = 48 48 명

길이가 31cm인 색 테이프가 6개 있습니다. 색 테이프를 겹치지 않게 이어 붙이면 길이는 모두 몇 cm일까요?

식 : 31×6=186 186 cm

P 38 ~ 39

신나는 연산!

다음을 읽고 알맞은 곱셈식을 쓰고 답을 구하세요.

우유가 한 상자에 20개씩 들어 있습니다. 딸기 우유 2상자와 바나나 우유 3상자가 있다면 딸기 우유와 바나나 우유는 모두 몇 개일까요?

식 : 20×5=100 100 개

선생님께서 학생들에게 연필 7타와 9자루를 선물로 주려고 합니다. 필요한 연필은 모두 몇 자루일까요?

식 : 12×7=84, 84+9=93 93 자루

2주 월 일

다음을 읽고 알맞은 곱셈식을 쓰고, 답을 구하세요.

민주는 한 봉지에 25개씩 들어 있는 사탕을 3봉지 샀습니다. 민주가 가진 사탕은 모두 몇 개일까요?

식 : 25×3=75 75 개

사과가 한 상자에 32개씩 들어 있습니다. 엄마가 3상자를 사서 3개를 먹었다면 남은 사과는 모두 몇 개일까요?

식 : 32×3=96, 96-3=93 93 개

책꽂이에 책들이 한 칸에 28권씩 꽂혀 있습니다. 그 중 위인전이 3칸, 동화책이 4칸에 꽂혀 있다면 책꽂이에 꽂혀 있는 책은 모두 몇 권일까요?

식 : 28×7=196 196 권

2주

다음을 읽고 알맞은 곱셈식을 쓰고, 답을 구하세요.

공책이 한 묶음에 40권씩 6묶음이 있습니다. 공책은 모두 몇 권일까요?

식 : $40 \times 6 = 240$ 240 권

버스 한 대에는 34명이 탈 수 있습니다. 버스 2대에는 모두 몇 명이 탈 수 있을까요?

식 : $34 \times 2 = 68$ 68 명

빨간 주머니에 구슬이 18개씩 9묶음 있습니다. 파란 주머니에는 빨간 주머니보다 구슬이 7개 더 있다면 파란 주머니에 담긴 구슬은 모두 몇 개일까요?

식 : $18 \times 9 = 162$, $162 + 7 = 169$ 169 개

P 40

1 일차

몇백의 곱

그림을 보고 몇백의 곱을 해 보세요.

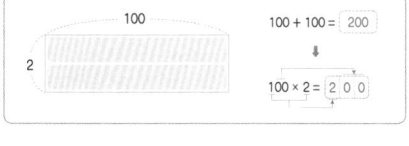

$100 + 100 + 100 =$ 300

$100 \times 3 =$ 300

$200 + 200 + 200 =$ 600

$200 \times 3 =$ 600

$500 + 500 =$ 1000

$500 \times 2 =$ 1000

$400 + 400 + 400 =$ 1200

$400 \times 3 =$ 1200

TIP

(몇백)×(몇)의 값은 (몇)×(몇)의 계산 결과의 뒤에 0을 2개 붙이면 됩니다.

3주 월 일

□ 안에 알맞은 수를 써넣으세요.

$200 \times 4 =$ 800

$100 \times 7 =$ 700

$300 \times 3 =$ 900

$100 \times 4 =$ 400

$100 \times 6 =$ 600

$200 \times 4 =$ 800

$200 \times 7 =$ 1400

$400 \times 6 =$ 2400

$300 \times 5 =$ 1500

$400 \times 4 =$ 1600

$200 \times 8 =$ 1600

$500 \times 3 =$ 1500

P 42 ~ 43

P 44 ~ 45

2 일차 갈라서 더하기

그림을 보고 몇백 몇십을 갈라서 더하는 방법을 알아보고, 빈칸에 알맞은 수를 써넣으세요.

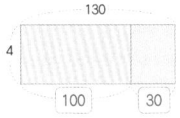

130 × 4 = 520
100 × 4 = 400
30 × 4 = 120

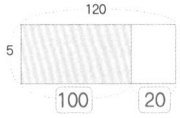

120 × 5 = 600
100 × 5 = 500
20 × 5 = 100

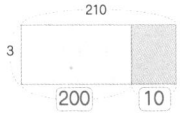

210 × 3 = 630
200 × 3 = 600
10 × 3 = 30

TIP
(몇백 몇십)×(몇)의 계산은 (몇백 몇십)을 (몇백)과 (몇십)으로 가르기하여 각각 곱한 후 더합니다.

빈칸에 알맞은 수를 써넣으세요.

150 × 3 = 450
100 × 3 = 300
50 × 3 = 150

170 × 3 = 510
100 × 3 = 300
70 × 3 = 210

190 × 4 = 760
100 × 4 = 400
90 × 4 = 360

230 × 6 = 1380
200 × 6 = 1200
30 × 6 = 180

260 × 2 = 520
200 × 2 = 400
60 × 2 = 120

320 × 2 = 640
300 × 2 = 600
20 × 2 = 40

P 46 ~ 47

빈칸에 알맞은 수를 써넣으세요.

270 × 4 = 1080
200 × 4 = 800
70 × 4 = 280

180 × 6 = 1080
100 × 6 = 600
80 × 6 = 480

220 × 8 = 1760
200 × 8 = 1600
20 × 8 = 160

350 × 5 = 1750
300 × 5 = 1500
50 × 5 = 250

240 × 5 = 1200
200 × 5 = 1000
40 × 5 = 200

410 × 3 = 1230
400 × 3 = 1200
10 × 3 = 30

3 일차 표 만들기

그림을 보고 표를 만들어 곱하는 방법을 알아보세요.

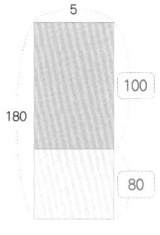

×	5
100	500
80	400
	900

180 × 5 = 500 + 400 = 900

TIP
표 만들기는 갈라서 각각을 곱한 후 더한 방법과 같습니다.

그림을 보고 빈칸에 알맞은 수를 써넣으세요.

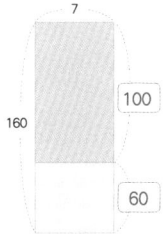

160 × 7 = 1120

×	7
100	700
60	420
	1120

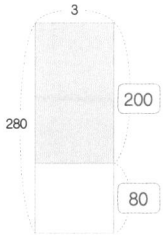

280 × 3 = 840

×	3
200	600
80	240
	840

빈칸에 알맞은 수를 써넣으세요.

140 × 6 = 840

×	6
100	600
40	240
	840

120 × 9 = 1080

×	9
100	900
20	180
	1080

180 × 7 = 1260

×	7
100	700
80	560
	1260

170 × 3 = 510

×	3
100	300
70	210
	510

220 × 6 = 1320

×	6
200	1200
20	120
	1320

230 × 5 = 1150

×	5
200	1000
30	150
	1150

빈칸에 알맞은 수를 써넣으세요.

160 × 8 = 1280

×	8
100	800
60	480
	1280

210 × 6 = 1260

×	6
200	1200
10	60
	1260

150 × 9 = 1350

×	9
100	900
50	450
	1350

240 × 3 = 720

×	3
200	600
40	120
	720

380 × 2 = 760

×	2
300	600
80	160
	760

430 × 5 = 2150

×	5
400	2000
30	150
	2150

4 일차 세로셈 (1)

각 자리의 위치를 맞추어 빈칸에 알맞은 수를 써넣으세요.

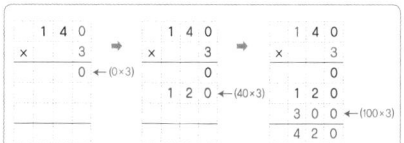

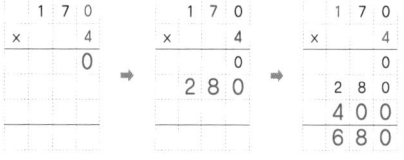

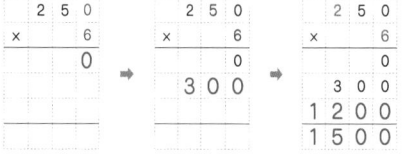

정답

P 52 ~ 53

신나는 연산!

3주 ○월 ○일

빈칸에 알맞은 수를 써넣으세요.

130 × 6 = 780 (0×6, 30×6, 100×6)	170 × 4 = 680	220 × 3 = 660
140 × 8 = 1120	250 × 8 = 2000	180 × 3 = 540
190 × 7 = 1330	160 × 5 = 800	230 × 4 = 920

빈칸에 알맞은 수를 써넣으세요.

210 × 6 = 1260 (0×6, 10×6, 200×6)	230 × 3 = 690	180 × 6 = 1080
320 × 4 = 1280	270 × 9 = 2430	360 × 5 = 1800
280 × 2 = 560	370 × 7 = 2590	450 × 8 = 3600

P 54 ~ 55

5일차 세로셈 (2)

3주 ○월 ○일

각 자리의 위치를 맞추어 빈칸에 알맞은 수를 써넣으세요.

240 × 3 = 0 → 240 × 13 = 20 → 240 × 13 = 720

0×3=0 / 4×3=12 / 2×3+1=7

120 × 3 = 0 → 120 × 3 = 60 → 120 × 3 = 360

280 × 2 = 0 → 280 × 12 = 60 → 280 × 12 = 560

TIP

위의 방법은 4일차의 세로셈을 풀이하는 방법과 원리가 같습니다. 받아올림이 있는 경우 올림한 수는 윗자리 수의 곱과 더해서 계산합니다.

빈칸에 알맞은 수를 써넣으세요.

180 × 12 = 360	280 × 3 = 840	210 × 5 = 1050
160 × 4 = 640	320 × 9 = 2880	430 × 7 = 3010
290 × 3 = 870	460 × 2 = 920	320 × 7 = 2240
330 × 8 = 2640	220 × 6 = 1320	180 × 5 = 900

3주

P 56

빈칸에 알맞은 수를 써넣으세요.

320 × 2 = 640	260 × 1 = 260	140 × 6 = 840
250 × 5 = 1250	370 × 6 = 2220	340 × 4 = 1360
110 × 3 = 330	230 × 2 = 460	420 × 7 = 2940
340 × 6 = 2040	290 × 2 = 580	410 × 9 = 3690

1 일 차

갈라서 더하기

그림을 보고 몇백 몇십 몇을 갈라서 더하는 방법을 알아보고, 빈칸에 알맞은 수를 써넣으세요.

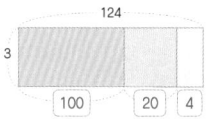

124 × 3 = 372
100 × 3 = 300
20 × 3 = 60
4 × 3 = 12

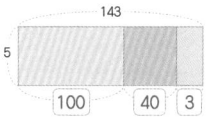

143 × 5 = 715
100 × 5 = 500
40 × 5 = 200
3 × 5 = 15

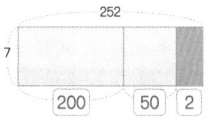

252 × 7 = 1764
200 × 7 = 1400
50 × 7 = 350
2 × 7 = 14

TIP
(몇백 몇십 몇)×(몇)의 계산은 (몇백 몇십 몇)을 (몇백)과 (몇십), (몇)으로 가르기하여 각각 곱한 후 더합니다.

4주 월 일

P 58 ~ 59

빈칸에 알맞은 수를 써넣으세요.

134 × 5 = 670 100 × 5 = 500 30 × 5 = 150 4 × 5 = 20	116 × 5 = 580 100 × 5 = 500 10 × 5 = 50 6 × 5 = 30
193 × 6 = 1158 100 × 6 = 600 90 × 6 = 540 3 × 6 = 18	182 × 4 = 728 100 × 4 = 400 80 × 4 = 320 2 × 4 = 8
257 × 3 = 771 200 × 3 = 600 50 × 3 = 150 7 × 3 = 21	239 × 2 = 478 200 × 2 = 400 30 × 2 = 60 9 × 2 = 18

정답

P 60 ~ 61

4주

빈칸에 알맞은 수를 써넣으세요.

226 × 6 = 1356
200 × 6 = 1200
20 × 6 = 120
6 × 6 = 36

228 × 3 = 684
200 × 3 = 600
20 × 3 = 60
8 × 3 = 24

153 × 7 = 1071
100 × 7 = 700
50 × 7 = 350
3 × 7 = 21

261 × 4 = 1044
200 × 4 = 800
60 × 4 = 240
1 × 4 = 4

324 × 2 = 648
300 × 2 = 600
20 × 2 = 40
4 × 2 = 8

352 × 5 = 1760
300 × 5 = 1500
50 × 5 = 250
2 × 5 = 10

2일차

표 만들기

그림을 보고 표를 만들어 곱하는 방법을 알아보세요.

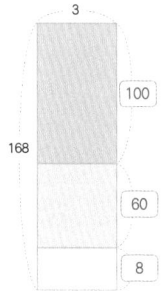

×	3
100	300
60	180
8	24
	504

168 × 3 = 300 + 180 + 24 = 504

P 62 ~ 63

신나는 연산!

그림을 보고 빈칸에 알맞은 수를 써넣으세요.

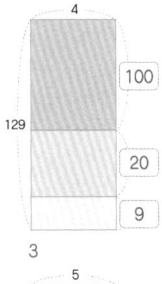

129 × 4 = 516

×	4
100	400
20	80
9	36
	516

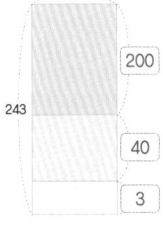

243 × 5 = 1215

×	5
200	1000
40	200
3	15
	1215

4주 월 일

빈칸에 알맞은 수를 써넣으세요.

153 × 6 = 918

×	6
100	600
50	300
3	18
	918

115 × 8 = 920

×	8
100	800
10	80
5	40
	920

193 × 3 = 579

×	3
100	300
90	270
3	9
	579

164 × 7 = 1148

×	7
100	700
60	420
4	28
	1148

218 × 6 = 1308

×	6
200	1200
10	60
8	48
	1308

273 × 8 = 2184

×	8
200	1600
70	560
3	24
	2184

4주

빈칸에 알맞은 수를 써넣으세요.

242 × 7 = 1694　　184 × 6 = 1104　　237 × 8 = 1896

×	7
200	1400
40	280
2	14
	1694

×	6
100	600
80	480
4	24
	1104

×	8
200	1600
30	240
7	56
	1896

362 × 4 = 1448　　388 × 5 = 1940　　429 × 3 = 1287

×	4
300	1200
60	240
2	8
	1448

×	5
300	1500
80	400
8	40
	1940

×	3
400	1200
20	60
9	27
	1287

3일차

세로셈 (1)

P 64 ~ 65

각 자리의 위치를 맞추어 빈칸에 알맞은 수를 써넣으세요.

```
  1 5 3        1 5 3        1 5 3
×     4   ➡  ×     4   ➡  ×     4
    1 2 ←(3×4)   1 2          1 2
              2 0 0 ←(50×4)  2 0 0
                             4 0 0 ←(100×4)
                             6 1 2
```

```
  1 6 2        1 6 2        1 6 2
×     8   ➡  ×     8   ➡  ×     8
    1 6          1 6          1 6
              4 8 0        4 8 0
                           8 0 0
                         1 2 9 6
```

```
  2 3 5        2 3 5        2 3 5
×     7   ➡  ×     7   ➡  ×     7
    3 5          3 5          3 5
              2 1 0        2 1 0
                           1 4 0 0
                           1 6 4 5
```


신나는 연산!

빈칸에 알맞은 수를 써넣으세요.

```
  1 3 9        1 5 5        2 4 4
×     2      ×     7      ×     5
    1 8 ←(9×2)   3 5          2 0
    6 0 ←(30×2) 3 5 0        2 0 0
  2 0 0 ←(100×2) 7 0 0      1 0 0 0
  2 7 8        1 0 8 5      1 2 2 0
```

```
  2 5 1        2 6 3        1 8 3
×     5      ×     9      ×     8
      5          2 7          2 4
  2 5 0        5 4 0        6 4 0
1 0 0 0      1 8 0 0        8 0 0
1 2 5 5      2 3 6 7      1 4 6 4
```

```
  1 6 5        1 7 2        2 2 8
×     7      ×     8      ×     4
    3 5          1 6          3 2
  4 2 0        5 6 0        8 0
  7 0 0        8 0 0        8 0 0
1 1 5 5      1 3 7 6        9 1 2
```


4주 ○월 ○일

P 66 ~ 67

빈칸에 알맞은 수를 써넣으세요.

```
  2 2 8        2 1 7        1 5 8
×     6      ×     7      ×     6
    4 8 ←(8×6)   4 9          4 8
  1 2 0 ←(20×6)  7 0        3 0 0
1 2 0 0 ←(200×6) 1 4 0 0    6 0 0
1 3 6 8      1 5 1 9        9 4 8
```

```
  3 4 5        5 2 8        2 7 6
×     3      ×     3      ×     4
    1 5          2 4          2 4
  1 2 0        6 0        2 8 0
  9 0 0      1 5 0 0        8 0 0
1 0 3 5      1 5 8 4      1 1 0 4
```

```
  2 9 2        4 2 3        3 5 8
×     5      ×     7      ×     8
    1 0          2 1          6 4
  4 5 0        1 4 0        4 0 0
1 0 0 0      2 8 0 0      2 4 0 0
1 4 6 0      2 9 6 1      2 8 6 4
```

P 68 ~ 69

4일차 세로셈 (2)

각 자리의 위치를 맞추어 빈칸에 알맞은 수를 써넣으세요.

```
  2 3 5        2 3 5        2 3 5
x     2 4  ➡  x 1 2 4  ➡  x 1 2 4
      0          4 0        9 4 0
      ↓          ↓          ↓
  5×4=20     3×4+2=14   2×4+1=9
```

```
  2 1 8        2 1 8        2 1 8
x   2 3  ➡  x   2 3  ➡  x   2 3
    4          5 4        6 5 4

  1 7 9        1 7 9        1 7 9
x   3 4  ➡  x 3 3 4  ➡  x 3 3 4
    6          1 6        7 1 6
```

TIP
위의 방법은 3일차의 세로셈을 풀이하는 방법과 원리가 같습니다. 받아올림이 있는 경우 올림한 수는 윗자리 수의 곱과 더해서 계산합니다.

4주 ○월 ○일

빈칸에 알맞은 수를 써넣으세요.

165 × 437 = 1155	188 × 3 = 564	245 × 3 = 735
192 × 8 = 1536	326 × 6 = 1956	418 × 7 = 2926
345 × 6 = 2070	207 × 7 = 1449	383 × 5 = 1915
251 × 9 = 2259	128 × 4 = 512	244 × 4 = 976

P 70 ~ 71

4주

빈칸에 알맞은 수를 써넣으세요.

283 × 23 = 849	223 × 3 = 669	157 × 8 = 1256
209 × 6 = 1254	338 × 2 = 676	476 × 6 = 2856
357 × 8 = 2856	549 × 2 = 1098	176 × 5 = 880
463 × 4 = 1852	256 × 8 = 2048	431 × 5 = 2155

5일차 문장제

다음을 읽고 알맞은 곱셈식을 쓰고, 답을 구하세요.

꽃이 140송이씩 심어져 있는 화단이 3개 있습니다. 그 중에서 35송이가 시들어서 버렸습니다. 화단에 남은 꽃은 모두 몇 송이일까요?

식 : 140 × 3 = 420, 420 - 35 = 385 385 송이

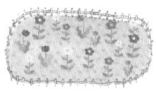

은수네 학교는 2층입니다. 사물함이 한 층에 135개씩 있을 때, 은수네 학교에 있는 사물함은 모두 몇 개일까요?

식 : 135 × 2 = 270 270 개

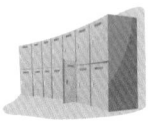

신나는 연산!

다음을 읽고 알맞은 곱셈식을 쓰고, 답을 구하세요.

민주가 판매할 딸기를 상자에 담았습니다. 큰 딸기는 110개씩 3상자에 담고, 작은 딸기는 한 상자에 130개씩 4상자에 담았습니다. 상자에 담은 딸기는 모두 몇 개일까요?

식 : $110\times3=330$, $130\times4=520$,
$330+520=850$ 850 개

성환이는 줄넘기를 하루에 155번씩 합니다. 일주일 동안 성환이는 줄넘기를 몇 번할까요?

식 : $155\times7=1085$ 1085 번

4주 ○월 ○일

P 72 ~ 73

다음을 읽고 알맞은 곱셈식을 쓰고, 답을 구하세요.

하루 동안 라디오를 184대 만드는 공장이 있습니다. 이 공장에서 4일 동안 만들 수 있는 라디오는 모두 몇 대일까요?

식 : $184\times4=736$ 736 대

수경이는 문방구에서 450원짜리 공책 2권과 250원짜리 지우개 2개를 샀습니다. 수경이가 산 공책과 지우개의 값은 모두 얼마일까요?

식 : $450\times2=900$, $250\times2=500$,
$900+500=1400$ 1400 원

버스가 하루에 273대씩 지나가는 정류소가 있습니다. 3일 동안 이 정류소를 지나가는 버스는 모두 몇 대일까요?

식 : $273\times3=819$ 819 대

4주

P 74

다음을 읽고 알맞은 곱셈식을 쓰고, 답을 구하세요.

정규는 구슬을 136개씩 8묶음 가지고 있습니다. 그 중 64개를 친구들에게 나누어 주었습니다. 정규에게 남은 구슬은 모두 몇 개일까요?

식 : $136\times8=1088$,
$1088-64=1024$ 1024 개

지하철 한 칸에 159명씩, 같은 수의 사람이 6칸에 타고 있습니다. 다음 정거장에서 40명이 더 탔습니다. 지하철에 타고 있는 사람은 모두 몇 명일까요?

식 : $159\times6=954$, $954+40=994$ 994 명

신문이 한 묶음에 277장씩 5묶음이 포장되어 있습니다. 포장된 신문은 모두 몇 장일까요?

식 : $277\times5=1385$ 1385 장

정답

P 76 ~ 77

1주차 Drill

(두 자리 수)×(한 자리 수) (1)

빈칸에 알맞은 수를 써넣으세요.

16 × 5 = 80

×	5
10	50
6	30
	80

13 × 9 = 117

×	9
10	90
3	27
	117

32 × 3 = 96

×	3
30	90
2	6
	96

22 × 7 = 154

×	7
20	140
2	14
	154

24 × 4 = 96

×	4
20	80
4	16
	96

18 × 8 = 144

×	8
10	80
8	64
	144

빈칸에 알맞은 수를 써넣으세요.

24 × 6 = 144

×	6
20	120
4	24
	144

36 × 8 = 288

×	8
30	240
6	48
	288

29 × 9 = 261

×	9
20	180
9	81
	261

42 × 7 = 294

×	7
40	280
2	14
	294

37 × 4 = 148

×	4
30	120
7	28
	148

53 × 3 = 159

×	3
50	150
3	9
	159

P 78 ~ 79

1주차 Drill

빈칸에 알맞은 수를 써넣으세요.

$$\begin{array}{r} 14 \\ \times\ 9 \\ \hline 36 \\ 90 \\ \hline 126 \end{array} \qquad \begin{array}{r} 18 \\ \times\ 4 \\ \hline 32 \\ 40 \\ \hline 72 \end{array} \qquad \begin{array}{r} 26 \\ \times\ 3 \\ \hline 18 \\ 60 \\ \hline 78 \end{array}$$

$$\begin{array}{r} 27 \\ \times\ 7 \\ \hline 49 \\ 140 \\ \hline 189 \end{array} \qquad \begin{array}{r} 32 \\ \times\ 5 \\ \hline 10 \\ 150 \\ \hline 160 \end{array} \qquad \begin{array}{r} 12 \\ \times\ 8 \\ \hline 16 \\ 80 \\ \hline 96 \end{array}$$

$$\begin{array}{r} 44 \\ \times\ 3 \\ \hline 12 \\ 120 \\ \hline 132 \end{array} \qquad \begin{array}{r} 16 \\ \times\ 5 \\ \hline 30 \\ 50 \\ \hline 80 \end{array} \qquad \begin{array}{r} 22 \\ \times\ 8 \\ \hline 16 \\ 160 \\ \hline 176 \end{array}$$

빈칸에 알맞은 수를 써넣으세요.

$$\begin{array}{r} 28 \\ \times\ 2 \\ \hline 16 \\ 40 \\ \hline 56 \end{array} \qquad \begin{array}{r} 26 \\ \times\ 7 \\ \hline 42 \\ 140 \\ \hline 182 \end{array} \qquad \begin{array}{r} 47 \\ \times\ 8 \\ \hline 56 \\ 320 \\ \hline 376 \end{array}$$

$$\begin{array}{r} 23 \\ \times\ 9 \\ \hline 27 \\ 180 \\ \hline 207 \end{array} \qquad \begin{array}{r} 36 \\ \times\ 6 \\ \hline 36 \\ 180 \\ \hline 216 \end{array} \qquad \begin{array}{r} 28 \\ \times\ 5 \\ \hline 40 \\ 100 \\ \hline 140 \end{array}$$

$$\begin{array}{r} 59 \\ \times\ 3 \\ \hline 27 \\ 150 \\ \hline 177 \end{array} \qquad \begin{array}{r} 46 \\ \times\ 5 \\ \hline 30 \\ 200 \\ \hline 230 \end{array} \qquad \begin{array}{r} 71 \\ \times\ 8 \\ \hline 8 \\ 560 \\ \hline 568 \end{array}$$

1주차

빈칸에 알맞은 수를 써넣으세요.

16 × 4 = 64	18 × 7 = 126	26 × 3 = 78
24 × 8 = 192	33 × 7 = 231	38 × 4 = 152
42 × 8 = 336	29 × 5 = 145	34 × 5 = 170
28 × 7 = 196	35 × 6 = 210	47 × 3 = 141

P 80 ~ 81

빈칸에 알맞은 수를 써넣으세요.

32 × 5 = 160	23 × 8 = 184	18 × 6 = 108
25 × 5 = 125	59 × 7 = 413	36 × 2 = 72
37 × 9 = 333	24 × 6 = 144	62 × 5 = 310
42 × 9 = 378	38 × 8 = 304	71 × 3 = 213

1주차

빈칸에 알맞은 수를 써넣으세요.

15 × 6 = 90	14 × 7 = 98	23 × 4 = 92
25 × 8 = 200	34 × 3 = 102	36 × 8 = 288
43 × 4 = 172	28 × 7 = 196	35 × 4 = 140
29 × 6 = 174	33 × 7 = 231	44 × 5 = 220

P 82 ~ 83

빈칸에 알맞은 수를 써넣으세요.

18 × 8 = 144	24 × 6 = 144	35 × 4 = 140
23 × 6 = 138	34 × 7 = 238	38 × 9 = 342
42 × 7 = 294	28 × 7 = 196	33 × 6 = 198
29 × 5 = 145	34 × 6 = 204	43 × 6 = 258

P 84 ~ 85

2주차 Drill

(두 자리 수)×(한 자리 수) (2)

빈칸에 알맞은 수를 써넣으세요.

19 × 5 = 95	27 × 6 = 162	18 × 2 = 36
12 × 9 = 108	50 × 7 = 350	42 × 5 = 210
33 × 2 = 66	27 × 3 = 81	80 × 4 = 320
22 × 9 = 198	25 × 8 = 200	61 × 6 = 366

84 소마셈 – C1

빈칸에 알맞은 수를 써넣으세요.

37 × 5 = 185	24 × 8 = 192	28 × 2 = 56
60 × 5 = 300	28 × 8 = 224	70 × 4 = 280
36 × 5 = 180	27 × 3 = 81	44 × 2 = 88
52 × 5 = 260	29 × 9 = 261	17 × 7 = 119

Drill – 보충학습 85

P 86 ~ 87

2주차 Drill

빈칸에 알맞은 수를 써넣으세요.

40 × 3 = 120	13 × 9 = 117	22 × 5 = 110
33 × 6 = 198	22 × 7 = 154	40 × 6 = 240
37 × 5 = 185	48 × 8 = 384	90 × 2 = 180
38 × 4 = 152	23 × 9 = 207	17 × 6 = 102

86 소마셈 – C1

빈칸에 알맞은 수를 써넣으세요.

18 × 8 = 144	53 × 6 = 318	60 × 6 = 360
72 × 2 = 144	61 × 8 = 488	57 × 4 = 228
33 × 6 = 198	44 × 4 = 176	19 × 9 = 171
62 × 6 = 372	80 × 8 = 640	55 × 4 = 220

Drill – 보충학습 87

2주차 drill

빈칸에 알맞은 수를 써넣으세요.

51 × 8 = 408	43 × 3 = 129	53 × 5 = 265
45 × 8 = 360	23 × 6 = 138	55 × 7 = 385
19 × 3 = 57	62 × 6 = 372	82 × 7 = 574
54 × 4 = 216	73 × 9 = 657	65 × 4 = 260

빈칸에 알맞은 수를 써넣으세요.

42 × 7 = 294	54 × 6 = 324	48 × 7 = 336
26 × 5 = 130	47 × 9 = 423	53 × 8 = 424
17 × 6 = 102	63 × 7 = 441	83 × 6 = 498
45 × 8 = 360	78 × 6 = 468	64 × 7 = 448

P 88 ~ 89

2주차 drill

빈칸에 알맞은 수를 써넣으세요.

68 × 3 = 204	35 × 9 = 315	23 × 4 = 92
16 × 4 = 64	18 × 9 = 162	16 × 5 = 80
53 × 7 = 371	75 × 5 = 375	46 × 3 = 138
28 × 2 = 56	56 × 6 = 336	87 × 2 = 174

빈칸에 알맞은 수를 써넣으세요.

17 × 5 = 85	26 × 8 = 208	17 × 3 = 51
43 × 9 = 387	24 × 7 = 168	56 × 5 = 280
71 × 9 = 639	34 × 3 = 102	99 × 1 = 99
27 × 6 = 162	53 × 3 = 159	18 × 8 = 144

P 90 ~ 91

P 92 ~ 93

3주차 drill

(세 자리 수)×(한 자리 수) (1)

빈칸에 알맞은 수를 써넣으세요.

170 × 7 = 1190

×	7
100	700
70	490
	1190

240 × 6 = 1440

×	6
200	1200
40	240
	1440

130 × 9 = 1170

×	9
100	900
30	270
	1170

270 × 4 = 1080

×	4
200	800
70	280
	1080

360 × 5 = 1800

×	5
300	1500
60	300
	1800

470 × 5 = 2350

×	5
400	2000
70	350
	2350

빈칸에 알맞은 수를 써넣으세요.

150 × 9 = 1350

×	9
100	900
50	450
	1350

210 × 7 = 1470

×	7
200	1400
10	70
	1470

180 × 6 = 1080

×	6
100	600
80	480
	1080

240 × 4 = 960

×	4
200	800
40	160
	960

350 × 5 = 1750

×	5
300	1500
50	250
	1750

490 × 2 = 980

×	2
400	800
90	180
	980

P 94 ~ 95

3주차 drill

빈칸에 알맞은 수를 써넣으세요.

```
  1 6 0
×     6
-------
      0
  3 6 0
  6 0 0
-------
  9 6 0
```

```
  1 4 0
×     7
-------
      0
  2 8 0
  7 0 0
-------
  9 8 0
```

```
  2 5 0
×     8
-------
      0
  4 0 0
1 6 0 0
-------
2 0 0 0
```

```
  2 4 0
×     3
-------
      0
  1 2 0
  6 0 0
-------
  7 2 0
```

```
  1 9 0
×     7
-------
      0
  6 3 0
  7 0 0
-------
1 3 3 0
```

```
  1 7 0
×     8
-------
      0
  5 6 0
  8 0 0
-------
1 3 6 0
```

```
  2 6 0
×     2
-------
      0
  1 2 0
  4 0 0
-------
  5 2 0
```

```
  2 1 0
×     9
-------
      0
    9 0
1 8 0 0
-------
1 8 9 0
```

```
  3 1 0
×     7
-------
      0
    7 0
2 1 0 0
-------
2 1 7 0
```


빈칸에 알맞은 수를 써넣으세요.

```
  1 8 0
×     7
-------
      0
  5 6 0
  7 0 0
-------
1 2 6 0
```

```
  1 6 0
×     7
-------
      0
  4 2 0
  7 0 0
-------
1 1 2 0
```

```
  2 7 0
×     4
-------
      0
  2 8 0
  8 0 0
-------
1 0 8 0
```

```
  1 7 0
×     9
-------
      0
  6 3 0
  9 0 0
-------
1 5 3 0
```

```
  2 5 0
×     2
-------
      0
  1 0 0
  4 0 0
-------
  5 0 0
```

```
  2 6 0
×     8
-------
      0
  4 8 0
1 6 0 0
-------
2 0 8 0
```

```
  3 6 0
×     5
-------
      0
  3 0 0
1 5 0 0
-------
1 8 0 0
```

```
  2 8 0
×     9
-------
      0
  7 2 0
1 8 0 0
-------
2 5 2 0
```

```
  4 1 0
×     4
-------
      0
    4 0
1 6 0 0
-------
1 6 4 0
```

3주차 drill

빈칸에 알맞은 수를 써넣으세요.

170 × 5 = 850	140 × 7 = 980	230 × 8 = 1840
190 × 2 = 380	230 × 3 = 690	240 × 4 = 960
180 × 5 = 900	230 × 7 = 1610	330 × 8 = 2640
220 × 5 = 1100	270 × 7 = 1890	420 × 6 = 2520

빈칸에 알맞은 수를 써넣으세요.

190 × 6 = 1140	180 × 7 = 1260	230 × 9 = 2070
370 × 5 = 1850	130 × 2 = 260	220 × 7 = 1540
190 × 8 = 1520	330 × 5 = 1650	330 × 2 = 660
260 × 2 = 520	430 × 7 = 3010	450 × 6 = 2700

P 96 ~ 97

3주차 drill

빈칸에 알맞은 수를 써넣으세요.

150 × 4 = 600	130 × 7 = 910	230 × 6 = 1380
140 × 2 = 280	230 × 5 = 1150	250 × 7 = 1750
180 × 4 = 720	220 × 6 = 1320	330 × 7 = 2310
230 × 6 = 1380	280 × 5 = 1400	420 × 5 = 2100

빈칸에 알맞은 수를 써넣으세요.

140 × 6 = 840	170 × 5 = 850	230 × 8 = 1840
360 × 4 = 1440	130 × 3 = 390	220 × 8 = 1760
170 × 6 = 1020	340 × 5 = 1700	340 × 7 = 2380
260 × 5 = 1300	430 × 8 = 3440	440 × 6 = 2640

P 98 ~ 99

P 100 ~ 101

4주차 drill

(세 자리 수)×(한 자리 수) (2)

빈칸에 알맞은 수를 써넣으세요.

238 × 6 = 1428

×	6
200	1200
30	180
8	48
	1428

178 × 7 = 1246

×	7
100	700
70	490
8	56
	1246

218 × 8 = 1744

×	8
200	1600
10	80
8	64
	1744

367 × 5 = 1835

×	5
300	1500
60	300
7	35
	1835

524 × 6 = 3144

×	6
500	3000
20	120
4	24
	3144

434 × 9 = 3906

×	9
400	3600
30	270
4	36
	3906

빈칸에 알맞은 수를 써넣으세요.

137 × 6 = 822

×	6
100	600
30	180
7	42
	822

198 × 2 = 396

×	2
100	200
90	180
8	16
	396

241 × 5 = 1205

×	5
200	1000
40	200
1	5
	1205

222 × 4 = 888

×	4
200	800
20	80
2	8
	888

327 × 3 = 981

×	3
300	900
20	60
7	21
	981

432 × 8 = 3456

×	8
400	3200
30	240
2	16
	3456

P 102 ~ 103

4주차 drill

빈칸에 알맞은 수를 써넣으세요.

```
  1 4 5
×     3
-------
    1 5
  1 2 0
  3 0 0
-------
  4 3 5
```

```
  1 6 8
×     7
-------
    5 6
  4 2 0
  7 0 0
-------
1 1 7 6
```

```
  2 5 6
×     4
-------
    2 4
  2 0 0
  8 0 0
-------
1 0 2 4
```

```
  2 7 3
×     8
-------
    2 4
  5 6 0
1 6 0 0
-------
2 1 8 4
```

```
  1 9 2
×     7
-------
    1 4
  6 3 0
  7 0 0
-------
1 3 4 4
```

```
  1 8 4
×     9
-------
    3 6
  7 2 0
  9 0 0
-------
1 6 5 6
```

```
  3 6 5
×     4
-------
    2 0
  2 4 0
1 2 0 0
-------
1 4 6 0
```

```
  2 1 9
×     9
-------
    8 1
    9 0
1 8 0 0
-------
1 9 7 1
```

```
  3 4 8
×     4
-------
    3 2
  1 6 0
1 2 0 0
-------
1 3 9 2
```


빈칸에 알맞은 수를 써넣으세요.

```
  3 2 4
×     6
-------
    2 4
  1 2 0
1 8 0 0
-------
1 9 4 4
```

```
  1 8 7
×     7
-------
    4 9
  5 6 0
  7 0 0
-------
1 3 0 9
```

```
  2 5 6
×     8
-------
    4 8
  4 0 0
1 6 0 0
-------
2 0 4 8
```

```
  3 4 9
×     3
-------
    2 7
  1 2 0
  9 0 0
-------
1 0 4 7
```

```
  4 3 6
×     5
-------
    3 0
  1 5 0
2 0 0 0
-------
2 1 8 0
```

```
  5 2 7
×     4
-------
    2 8
    8 0
2 0 0 0
-------
2 1 0 8
```

```
  2 8 9
×     8
-------
    7 2
  6 4 0
1 6 0 0
-------
2 3 1 2
```

```
  4 6 3
×     2
-------
    6
  1 2 0
  8 0 0
-------
  9 2 6
```

```
  5 5 8
×     4
-------
    3 2
  2 0 0
2 0 0 0
-------
2 2 3 2
```

4주차 drill

빈칸에 알맞은 수를 써넣으세요.

176 × 5 = 880	138 × 7 = 966	239 × 7 = 1673
241 × 9 = 2169	356 × 7 = 2492	448 × 3 = 1344
145 × 8 = 1160	235 × 7 = 1645	382 × 4 = 1528
266 × 5 = 1330	427 × 3 = 1281	206 × 8 = 1648

빈칸에 알맞은 수를 써넣으세요.

277 × 4 = 1108	318 × 8 = 2544	192 × 8 = 1536
256 × 6 = 1536	328 × 3 = 984	426 × 7 = 2982
387 × 4 = 1548	509 × 5 = 2545	289 × 7 = 2023
452 × 7 = 3164	612 × 8 = 4896	537 × 2 = 1074

P 104 ~ 105

4주차 drill

빈칸에 알맞은 수를 써넣으세요.

253 × 6 = 1518	317 × 7 = 2219	193 × 7 = 1351
246 × 7 = 1722	327 × 4 = 1308	425 × 6 = 2550
374 × 2 = 748	589 × 4 = 2356	233 × 6 = 1398
453 × 3 = 1359	624 × 7 = 4368	546 × 3 = 1638

빈칸에 알맞은 수를 써넣으세요.

263 × 7 = 1841	329 × 6 = 1974	178 × 5 = 890
246 × 3 = 738	317 × 8 = 2536	425 × 3 = 1275
372 × 6 = 2232	519 × 6 = 3114	276 × 7 = 1932
453 × 8 = 3624	614 × 7 = 4298	546 × 3 = 1638

P 106 ~ 107

Note

Note

Note